MARCEL MALGO

LOS DIEZ MANDAMIENTOS

אנכי׳ ד   לא תרצח
לא יהיה   לא תנאף
לא תשא   לא תגנב
זכור את   לא תענה
כבד   תחמד

PARA EL

CRISTIANO DEL SIGLO XXI

MARCEL MALGO

LOS DIEZ MANDAMIENTOS

לא תרצח   אנכי ד
לא תנאף   לא יהיה
לא תגנב   לא תשא
לא תענה   זכור את
תחמד   כבד

PARA EL

CRISTIANO DEL SIGLO XXI

LLAMADA DE MEDIANOCHE

Cx.P. 1688 • 90001-970 PORTO ALEGRE/RS - Brasil
Teléfono: +5551 3241-5050 • Fax: +5551 3249-7385
e-mail: llamada@via-rs.net

Traducido del original en Alemán:
"Der Christ und die zehn Gebote"

Primera Edición en castellano: Mayo 2003

Traducción: Sigrid Völke
Corrección: Silvia Lopez
Diagramación y portada: André Beitze
Impresión: Chamada da Meia-Noite

Todas las citas bíblicas fueron tomadas
de las versiones Reina Valera
Actualizada de 1989, y Reina Valera Revisión de 1960

ISBN   85-87308-26-2

Impreso en talleres proprios.

Índice

El Cristiano

y el Primer Mandamiento

"No tendrás otros dioses delante de Mí" (Ex.20:3). El primero de los diez mandamientos de Dios no consiste solamente en estas palabras, sino que en su totalidad dice así: *"Yo soy Jehová tu Dios que te saqué de la tierra de Egipto, de la casa de esclavitud: No tendrás otros dioses delante de mí"* (Ex.20:2-3).

Con este *"Yo soy el SEÑOR"*, Dios enfatiza Su autocracia, con lo cual afirma Su derecho absoluto sobre Su pueblo Israel. Visto a esta luz, el mandamiento *"No tendrás otros dioses delante de Mí"*, es más que comprensible. Es más, es una consecuencia más que lógica del hecho que Dios es en realidad el Señor absoluto. El, sin embargo, menciona otra razón importante por la cual exige de Su pueblo que no tengan otros dioses delante de El: *"Yo soy Jehová tu Dios que te saqué de la tierra de Egipto, de la casa de esclavitud."* Es más que justo que Dios pida de Su pueblo que lo adoren a El como a su único Señor, porque El mismo con mano poderosa los ha sacado de la esclavitud en Egipto.

En el entorno de aquellos tiempos era muy claro, lo que el Señor quería decir con *"otros dioses":* simplemente los muchos y variados dioses e ídolos de los pueblos del Cercano Oriente. Si hiciéramos memoria por un momento tan sólo al respecto de los muchos dioses que adoraban los egipcios, podríamos comprender muy bien la advertencia de Dios. Las tres deidades principales de los egipcios eran Amon, Ptah y el dios sol Re. Osiris y Horus figuraban entre los otros dioses egipcios conocidos. El sacerdocio del dios principal Amón en aquellos tiempos dominaba toda la vida religiosa

El dios del sol Horus   **El dios del sol Re-Harachte**

Amon

de Egipto. Durante los feriados más trascendentes, los egipcios regularmente participaban en grandes homenajes para con esta deidad. Durante la vida cotidiana se buscaba consuelo con los dioses del hogar y otros dioses menores. No es de asombrarse entonces, que Dios el Señor, en el primero de los diez mandamientos, le da la severa orden a los israelitas: *"No tendrás otros dioses delante de Mí."*

Que estas palabras estaban totalmente justificadas, lo muestra el hecho que Israel varias veces regresó a los dioses de Egipto en forma estremecedora. Así leemos en Exodo 32:4, que el pueblo, después de que Aarón hiciera el becerro de oro, exclamó: *"¡Israel, éste es tu dios que te sacó de la tierra de Egipto!"* La misma aberración

Osiris

Ptah

fue llevada a cabo varios cientos de años más adelante por el rey Jeroboam, el gobernador de las diez
tribus de Israel: *"Y habiendo tomado consejo, el rey
hizo dos becerros de oro y dijo al pueblo: ¡Bastante
habéis subido a Jerusalén! ¡He aquí tus dioses, oh Israel, que te hicieron subir de la tierra de Egipto!"*
(1.R.12:28). El Señor, por lo tanto, sabía muy bien,
por qué les daba a los israelitas como primero de los
diez mandamientos esta exhortación: *"No tendrás otros
dioses delante de Mí."*

¿Pero qué tiene que ver este primer mandamiento
con nosotros los cristianos, los creyentes del Nuevo
Testamento? Mucho, porque juntamente con esta palabra del Antiguo Testamento tenemos 2.Timoteo 3:16-
17, donde está escrito: *"Toda la Escritura es inspirada
por Dios y es útil para la enseñanza, para la repren-
sión, para la corrección, para la instrucción en justicia,
a fin de que el hombre de Dios sea perfecto, enteramente
capacitado para toda buena obra."* De modo que no
puede quebrarse la declaración del Antiguo Testamento que dice: *"No tendrás otros dioses delante de Mí."*
Más bien tiene un valor especial en la vida de los creyentes neotestamentarios. Por eso un cristiano debe tomar en serio el mandamiento: *"No tendrás otros dioses
delante de Mí"*, pues también en su vida fácilmente
pueden haber ídolos. No necesitamos buscar mucho,
porque hoy en día existen muchas cosas que puedan
manifestarse de tal manera en la vida de un creyente
al punto de llegar a ser un ídolo. En nuestro tiempo en
ese sentido hemos llegado a la cima, pues nunca antes
ha sido tan grande la oferta del mundo como ahora.
Pero para que todos me entiendan bien: No quiero "sa-
tanizar" todo lo que nos es ofrecido en esta vida. Muchas de esas cosas son muy útiles y, usándolas correctamente son de gran ventaja también para el creyente.

Pero quisiera enfatizar que lo diabólico comienza justamente cuando estas cosas, que son buenas en sí mismas, han confiscado nuestro corazón. O, para decirlo con palabras más relacionadas a nuestro tema: ¡Si esas cosas se nos han convertido en ídolo!

Tomemos aquí el ejemplo de las riquezas. ¿Es pecado ser rico? De ningún modo, ya que sino, muchos creyentes de este mundo serían grandes pecadores, y más si consideramos que existen cristianos realmente acaudalados. Pero sabemos que las riquezas encierran en sí muy grandes peligros. Por eso el Salmo 62:10 dice: *"Aunque se incremente la riqueza, no pongáis en ella el corazón."* Con otras palabras: Si Ustedes son personas acaudaladas o si sus bienes aumentan, no den a estas riquezas tanto lugar en sus corazones como para que allí se conviertan en ídolos. Justamente eso es también lo que enseña Pablo cuando le escribe a Timoteo: *"A los ricos de la edad presente manda que no sean altivos, ni pongan su esperanza en la incertidumbre de las riquezas, sino en Dios quien nos provee todas las cosas en abundancia para que las disfrutemos"* (1.Ti.6:17). Como los ricos están expuestos a grandes peligros, Santiago recomienda: *"Pero el rico, (gloríese) en su humillación"* (Stg.1:10).

Las riquezas y otras tantas cosas más, no hacen del creyente un pecador, sino que solamente se convierte en pecador si estas riquezas, o lo que sea, se convierten en un ídolo.

Debemos reconocer una cosa muy claramente: Todo lo que esta vida tiene para ofrecernos, se nos puede convertir en ídolo. Y es justamente por eso que ahora vivimos en un tiempo muy peligroso, porque tenemos muchísimas cosas a disposición. Para examinar nuestro propio corazón en este sentido, queremos hacernos la siguiente pregunta que es crucial:

¿En qué momento alguna cosa se nos convierte en ídolo?

Sencillamente cuando algo entra de tal manera en nuestro corazón, que lo confisca. Porque cuando eso ocurre, entonces la cosa mencionada se ha convertido en nuestro tesoro. Y un tesoro solamente se conforma con un lugar: Con el corazón de la persona. Jesucristo dice: *"Porque donde esté vuestro tesoro, allí también estará vuestro corazón"* (Lc.12:34). El Señor con eso quiere decir que estas dos cosas no pueden ser separadas la una de la otra: Allí donde está nuestro tesoro siempre estará también nuestro corazón; y allí donde está nuestro corazón, siempre se encontrará también nuestro tesoro.

Pero si el caso consiste en algún creyente que no tiene al Señor su Dios como tesoro en su corazón, entonces sin lugar a duda, tiene otra cosa en lugar de El; y eso entonces es el ídolo en su vida. Ya sea el dinero, un automóvil, una casa, el negocio, la profesión, un equipo de video, un pasatiempo especial, comida y bebida, o alguna otra cosa –todo se convierte en un ídolo en el momento en que llega a tener un valor mayor que Dios el Señor.

Toda persona tiene algún tesoro escondido en lo más profundo de su corazón. Cuida y guarda en lo más profundo de su corazón algo que lo llena y gobierna completamente. La pregunta obviamente es la siguiente: ¿Qué hay dentro de nosotros que se haya convertido en un tesoro, qué es lo que más nos ocupa, qué nos llena totalmente? Es alguna cosa, algún objeto de este mundo, o es el Señor?

Si es el Señor, entonces estamos libres de toda idolatría, y no hay ídolo en nuestra vida –porque servimos al Dios vivo. Entonces somos personas que cumplen la ley real de la cual habla Deuteronomio 6:5, y de la cual habla Jesús en Mateo 22:37: *"Amarás al Señor tu Dios con todo tu corazón y con toda tu alma y con toda tu mente."* Los creyentes que hacen eso, tienen a Dios el Señor como tesoro en sus corazones y por eso están libres de toda idolatría.

Pero si el caso consiste en algún creyente que no tiene al Señor su Dios como tesoro en su corazón, enton-

ces sin lugar a duda, tiene otra cosa en lugar de El; y eso entonces es el ídolo en su vida. Ya sea el dinero, un automóvil, una casa, el negocio, la profesión, un equipo de video, un pasatiempo especial, comida y bebida, o alguna otra cosa –todo se convierte en un ídolo en el momento en que llega a tener un valor mayor que Dios el Señor. Y aquí cada uno de nosotros debe examinarse a sí mismo haciéndose la siguiente pregunta: ¿Qué hay en mi vida, que tenga un valor mayor que el Señor? Cuando hayamos llegado a una respuesta, o hayamos encontrado algo que nos importa más que el Señor, entonces eso es el ídolo en nuestra vida. En este caso podemos comenzar a ordenar y a quitar ese ídolo.

Quizás debamos explicar brevemente aquí cómo uno debe examinarse con respecto a un ídolo. Dicho con otras palabras: ¿Cómo sabemos si realmente hay un ídolo en nuestra vida? Lastimosamente muchos cristianos están totalmente ciegos hacia su propia condición espiritual. Pero existe un medio muy sencillo para saber si hay un ídolo en nuestra vida o no. Jesucristo dice: *"El hombre bueno, del buen tesoro de su corazón, presenta lo bueno; y el hombre malo, del mal tesoro de su corazón, presenta lo malo. Porque de la abundancia del corazón habla la boca"* (Lc.6:45). Hazte ahora las siguientes preguntas: ¿Qué testimonio da mi cuerpo? ¿De qué testifica mi andar diario? ¿Qué se refleja de mi ser interior? El Señor dijo la verdad cuando dijo: *"Porque de la abundancia del corazón habla la boca."*

Alguna cosa siempre saldrá de tu corazón, porque siempre habrá algo que llena tu corazón. La pregunta solamente es, qué es lo que lo llena. Y Jesucristo, quien nunca habló con rodeos, tampoco hace de esto un asunto complicado. El, lo dice de tal modo que todos lo pueden comprender: *"El hombre bueno, del buen tesoro de su corazón, presenta lo bueno; y el hombre malo, del mal tesoro de su corazón, presenta lo malo."* Aquí está la prueba que muestra si tenemos un ídolo o hasta varios en el corazón. Si dejamos llenar nuestro corazón con la persona del Señor Jesucristo, si somos un Espíritu con El, entonces solamente pueden salir cosas buenas del mismo, porque El, no comparte Su lugar con cosa alguna. El mismo enfatizó claramente: *"Nadie puede servir a dos señores; porque aborrecerá al uno y amará al otro, o se dedicará al uno y menospreciará al otro. No podéis servir a Dios y a las riquezas"* (Mt. 6:24). Pero si hemos puesto nuestro corazón en un montón de otras cosas, entonces será manifiesto que permitimos ídolos en nuestra vida.

Seguidamente quisiéramos hablar de un ídolo que nos es mostrado por las Sagradas Escrituras, pero al cual quizás ni lo reconocemos como tal.

El ídolo de la obstinación

El Rey Saúl había sido ordenado por Dios para arreglar cuentas con los amalecitas (1.S.15:1-3). Cuando él no lo hizo en la forma que le fuera ordenada por el Señor, le fue dicho lo siguiente por Samuel, el profeta de Dios: *"Porque la rebeldía es como el pecado de adivinación, y la obstinación es como la iniquidad de la idolatría. Por cuanto tú has desechado la palabra de Jehová, él también te ha desechado a ti, para que no seas rey"* (v.23).

Prestemos especial atención a las palabras: *"la obstinación es como la iniquidad de la idolatría."* ¿Por qué se pone aquí la obstinación a la misma altura que la idolatría? No simplemente porque se tratara de un pecado especialmente grave, sino porque la obstinación contra las ordenanzas de Dios es un verdadero ídolo.

Porque, ¿qué hizo Saúl cuando se opuso a la voluntad del Señor y no realizó el mandato de Dios exactamente como el Señor le había ordenado? Muy sencillo: El, puso su propia voluntad delante de la voluntad del Señor y creó así un ídolo en su vida: El ídolo "Yo". En el momento en que un hijo de Dios se resiste al Señor en alguna manera, su corazón se ha vuelto más hacia su propio "Yo" que hacia el Señor. Esto abre la puerta para el ídolo "Yo", y éste entra en la vida de la persona. El pecado de la obstinación, que por el Señor es igualado a un ídolo, de todos modos es mucho más malicioso de lo que muchos creen. Si alguien está atado a alguna cosa, como por ejemplo a un automóvil, o a algún pasatiempos, y lo adora como a un ídolo, entonces muy pronto también será visible para otros creyentes. Pero el "ídolo de la obstinación" se forma en lo profundo del corazón humano, y al principio no es reconocible.

Un ladrón que ha sido sorprendido en el mismo hecho no podrá negarlo por mucho tiempo, diciendo: "No, yo no soy ladrón", ya que el botín en su mano testifica fuertemente contra él. Y cuando un hijo de Dios evidentemente ha caído en algún gran pecado y alguien se lo dice, entonces no podrá negar la acusación, porque el pecado ocurrido y visible testifica fuertemente en contra de él.

Con el pecado de la obstinación, el ídolo "Yo", sin embargo, las cosas no son tan sencillas, porque este ídolo se origina en lo profundo del corazón. Los demás creyentes al principio ni siquiera lo notan, si alguien se rebela contra Dios en su interior y si esta persona lleva de ese modo un ídolo consigo. De ahí que es muy posible, que entre nuestros lectores haya creyentes que llevan consigo el "ídolo de la obstinación" sin que el mismo sea visible al principio para su entorno.

Quién es esclavo del ídolo "yo", quien se opone a la voluntad de Dios revelada en la Biblia, vive muy peligrosamente, porque un cristiano de este tipo ya no avanza en su vida espiritual. Recordemos solamente al Rey Saúl, a quien su propio honor le era más importante que el honor de Dios, y a quien Samuel tuvo que decir: *"Porque la rebeldía es como el pecado de adivinación, y la obstinación es como la iniquidad de la idolatría. Por cuanto tú has desechado la palabra de Jehovah, él también te ha desechado a ti, para que no seas rey"* (1 Samuel 15:23). La vida de Saúl llegó a un momento muy trágico: ¡Dios ya no seguía adelante con él! Y eso también es válido para nuestras vidas como cristianos: Desde el momento en el cual un hijo de Dios lleva consigo el "ídolo de la obstinación", ya no es sensible al obrar del Espíritu Santo, quien desea obrar con gran intensidad en todo creyente. Si un cristiano reprime al Espíritu Santo (vea 2 Ts. 5:19), se produce una total suspensión en su vida espiritual. Y es imprescindible que los hijos de Dios crezcan espiritualmente, ya que no podemos quedarnos como estamos. Pero un cristiano rebelde obstaculiza este crecimiento a causa de su ídolo.

Aquí, algunos ejemplos de las Escrituras que demuestran que el crecimiento espiritual, en la vida de todo cristiano, es un deber:

- *"Sino que, siguiendo la verdad con amor, crezcamos en todo hacia aquel que es la cabeza: Cristo"* (Ef. 4:15). Es absolutamente necesario seguir creciendo diariamente en dirección a Jesús.

- *"...crezcáis en el conocimiento de Dios"* (Col. 1:10).

- *"Más bien, creced en la gracia y en el conocimiento de nuestro Señor y Salvador Jesucristo"* (2 P. 3:18).

- *"El Señor os multiplique y os haga abundar en amor unos para con otros y para con todos"* (1 Ts. 3:12).

En aquellos cristianos que llevan consigo el ídolo de la obstinación, estos requerimientos para el crecimiento espiritual no encuentran eco alguno. Ellos son absolutamente incapaces de obedecer estos mandatos de Dios, porque en lugar del Señor está su "Yo" en el trono de su corazón.

Si tú ya no puedes seguir el paso a lo que Dios pide de ti en Su Palabra, entonces, debo preguntarte muy seriamente: ¿Eres tú un cristiano que lleva dentro de sí el "ídolo de la obstinación"? Si es así, entonces, por favor, ¡apúrate a deshacerte de este ídolo, porque el Señor dice: *"No tendrás otros dioses delante de mí"* (Ex. 20:3)!

Fácilmente, se podría componer todo un catálogo de ídolos lo cual, sin embargo, no queremos hacer ahora. A pesar de esto, quizás veas ahora que un ídolo ha tomado lugar en tu vida, y tú estás dispuesto a echarlo. Pero tienes mucho temor de que, otra vez, no logres echarlo definitivamente. Cuántas veces ya lo has probado y siempre has recaído. Quizás también hayas pedido que oren por ti, has ido de un consejero espiritual a otro – pero todo esto no ha resultado en una verdadera liberación. Quizás digas con resignación: "Sí, es cierto. Ese ídolo todavía está aquí. ¡Pero quiero liberarme de él!"

Si es así, entonces, quiero ahora confrontarte con una persona del Nuevo Testamento, que servía al terrible:

Idolo Dinero,

y pudo ser librado del mismo. Quizás este acontecimiento para ti, quien también sufres bajo el dominio de un ídolo en tu vida, sea una ayuda práctica para liberarte. En el caso de la persona mencionada, se trata de Zaqueo, el jefe de los publicanos. La historia comienza con la entrada de Jesús en la ciudad de Jericó: *"Habiendo entrado Jesús en Jericó, pasaba por la ciudad. Y he aquí, un hombre llamado Zaqueo, que era un principal de los publicanos y era rico, procuraba ver quién era Jesús; pero no podía a causa de la multitud, porque era pequeño de estatura. Entonces corrió delante y subió a un árbol sicómoro para verle, pues había de pasar por*

El terrible ídolo dinero

allí. Cuando Jesús llegó a aquel lugar, alzando la vista le vio y le dijo: – Zaqueo, date prisa, desciende; porque hoy es necesario que me quede en tu casa. Entonces él descendió aprisa y le recibió gozoso. Al ver esto, todos murmuraban diciendo que había entrado a alojarse en la casa de un hombre pecador. Entonces Zaqueo, puesto en pie, dijo al Señor: He aquí, Señor, la mitad de mis bienes doy a los pobres; y si en algo he defraudado a alguno, se lo devuelvo cuadruplicado" (Lc. 19:1-8).

Zaqueo se encontraba al servicio de los romanos quienes, en esos tiempos, ocupaban Israel y, como jefe de los publicanos, tenía mucho dinero: *"Y he aquí, un hombre llamado Zaqueo, que era un principal de los publicanos y era rico"* (v. 2). Estas dos características – jefe de publicanos y riquezas – alcanzaban para hacerlo despreciable y odioso a los ojos del resto de sus compatriotas. Los cobradores de impuestos de aquellos tiempos, de todos modos, eran personas odiadas y eran vistos como la escoria del pueblo. Aun el Señor Jesús caracterizaba a los publicanos de esta manera: cuando una vez habló sobre un hombre impenitente, lo comparó con un publicano (Mt. 18:17). Los publicanos, en ese entonces, eran la esencia misma de las personas impenitentes, hasta el punto que ni siquiera se les nombraba juntamente con otros pecadores. No, los publicanos eran un grupo aparte de pecadores. En Lucas 15:1, por ejemplo, dice: *"Se acercaban a él todos los publicanos y pecadores para oírle."*

Zaqueo no se había enriquecido por ganar mucho (los romanos seguramente no le pagaban bien a un publicano judío), sino porque se apropiaba indebidamente del dinero. El mismo lo confesó cuando le dijo a Jesús: *"He aquí, Señor, la mitad de mis bienes doy a los pobres; y si en algo he defraudado a alguno, se lo devuelvo cuadruplicado"* (Lc. 19:8). Zaqueo era un hombre atado al dinero: éste era su ídolo. Debe haber sido un hombre infeliz, que se sentía muy solo. Posiblemente el pecado estaría escrito en su cara, porque el hecho de estar tan fuertemente atado al dinero, quizás hubiera marcado a este hombre también exteriormente.

Aun así, Zaqueo tenía una cosa importante a su favor: ¡Tenía el gran deseo de ver a Jesús! Posiblemente, en primer lugar, ni siquiera se haya tratado de que él quisiera ser librado de su ídolo, el dinero – en eso, quizás, ni habría pensado todavía. Sencillamente, quería ver a Jesús ¡y, eso, debería convertirse en su salvación!

A ti, que estás leyendo estas líneas, ahora, y que estás atado a alguna cosa: ¡Jesús quiere hacerte completamente libre también! Quizás ya hace mucho te has dado cuenta que necesitas separarte de un cierto ídolo, pero hasta hoy, sencillamente, no lo has logrado. Vez tras vez está ahí, exige su derecho y oscurece tu mirada de fe en Jesús. No sirve de nada si, una y otra vez, te levantas para ser libre de tu ídolo (o ídolos), por tu propia fuerza, y vas a éstos y aquellos otros consejeros para que oren por ti. ¡Más bien hazlo de esta forma: Deja a tu ídolo donde está; no te ocupes más de él! Y ahora ven y di: "¡Quiero ver a Jesús!" ¡Dirige tu mirada por la fe hacia El! Sólo El quiere y puede librarte, así como libró a Zaqueo de su ídolo, el dinero. Isaías 45:22 lo expresa en forma maravillosa: *"¡Mirad a mí y sed salvos, todos los confines de la tierra! Porque yo soy Dios, y no hay otro."* Tú, que estás luchando con tu ídolo, ésta es tu oportunidad para ser liberado, tu salvación: Dirígete a El, al Señor, en oración. Zaqueo lo hizo, y fue liberado.

Ahora, queremos mirar uno por uno los elementos de lo que experimentó Zaqueo. En Lucas 19:3 leemos: *"Procuraba ver quién era Jesús."* Posiblemente, Zaqueo habría escuchado que este Jesús también se preocupaba por los publicanos – en contraste con todos aquellos que los odiaban. Por eso, él trató de ver a este Jesús. Pero, juntamente con su decisión, apareció un enorme problema: *"Procuraba ver quién era Jesús; pero no podía a causa de la multitud, porque era pequeño de estatura."* Adonde fuera que mirara Zaqueo, hacia adelante, hacia atrás, a la izquierda o a la derecha, veía a las otras personas como grandes obstáculos y, por eso, no podía ver a Jesús.

Asimismo, también sucede en la vida espiritual: Donde sea que una persona se levanta para ver a Jesús, en el mismo momento, también, aparecen obstáculos que deben ser vencidos. Si tú ahora tomas la decisión de que, definitivamente, quieres ponerle fin al ídolo en tu vida, y te paras y dices: "¡Hoy quiero tener un encuentro con Jesús!", entonces, en el mismo momento, también se levantará el adversario para evitarlo. En el momento en que tú te estires para poder ver a Jesús, porque te das cuenta que solamente El te puede dar la salvación, delante de tus ojos internos se levantarán montañas de dificultades. Pero, créeme, eso siempre sucede cuando una persona se levanta para conocer a Jesús. Entonces, el diablo se ocupa de que haya muchas dificultades prontas como, por ejemplo, dudas, falta de fe, cansancio espiritual, pereza, impotencia, vacío y hasta el sentimiento de falta de sentido. Recuerda tan solamente a Pedro, quien con mucha fe, quería caminar sobre el agua hacia Jesús. ¿Qué sucedió en el mismo momento? Dice: *"Pero al ver el viento fuerte, tuvo miedo y comenzó a hundirse. Entonces gritó diciendo: ¡Señor, sálvame!"* (Mt. 14:30). Si, de todo corazón, deseamos tener una renovación, éste tipo de tentaciones son totalmente normales.

Hijo de Dios, ¿tienes el deseo de un nuevo encuentro con Jesús? ¿Quieres verlo de nuevo? ¿Quieres ser libre del ídolo que reina en tu vida? Si es así, entonces, cuenta con el hecho de que el diablo está en contra, y que comenzará a actuar de manera acorde. Pero no te desanimes por eso sino, más bien, demuestra ahora mucha fe. Pisa "sobre el agua", por la fe, no mires la "tormenta" sino mira, sin titubear, a Jesús, quien te dará la verdadera liberación de todas las ataduras!

De eso Zaqueo nos es un maravilloso ejemplo, porque ¿qué hizo él cuándo notó que nunca vería a Jesús a cau-

En el momento en que tú te estires para poder ver a Jesús, porque te das cuenta que solamente El te puede dar la salvación, delante de tus ojos internos se levantarán montañas de dificultades.

sa de todas las personas que estaban a Su alrededor? Leemos en Lucas 19:4: *"Entonces corrió delante y subió a un árbol sicómoro para verle."* Zaqueo no escatimó el esfuerzo propio para alcanzar su meta. ¡Si pudiéramos comprender eso hoy, que nunca debemos escatimar el esfuerzo personal si deseamos tener un nuevo encuentro con Jesús! Un nuevo encuentro con Jesucristo debe valer mucho para los hijos de Dios, y debemos aplicarnos decididamente a ello.

Si verdaderamente quieres romper por completo, con el ídolo que existe en tu vida; si verdaderamente quieres experimentar al Señor en una forma nueva, y el diablo lucha contra eso, entonces sencillamente, no le hagas caso. Haz como hizo Zaqueo, quien no se fue entristecido a su casa cuando no pudo ver a Jesús. Este jefe de publicanos, más bien, dejó de lado a la gente que no le permitía ver a Jesús: *"corrió delante y subió a un árbol sicómoro para verle."* ¡Súbete también tú, ahora, a un árbol para ver a Jesús! Es decir: Aprópiate, por la fe, de una promesa de la Biblia que apoye el deseo de tu corazón de ver, nuevamente, a Jesús. Pienso, por ejemplo, en las siguientes palabras de las Sagradas Escrituras:

- *"Pedid, y se os dará. Buscad y hallaréis. Llamad, y se os abrirá"* (Mt. 7:7).

- *"Así que, si el Hijo os hace libres, seréis verdaderamente libres"* (Jn. 8:36).

- *"Si me buscareis con todo vuestro corazón, me dejaré hallar de vosotros, dice Jehová"* (Jer. 29:13b-14a).

Aférrate, ahora mismo, a estas palabras. Pon tu dedo sobre las mismas y di: "Señor, esto lo has dicho Tú. Ahora lo haré: Te busco de todo corazón y Te encontraré. Llamo por la fe, y Tú me abrirás la puerta, me escucharás y me darás liberación de mi ídolo (o: de mis ídolos). Te doy gracias. Amén." ¡No dudes, y sucederá!

Porque si tú, ahora, buscas al Señor Jesús, de todo corazón, El se dejará encontrar por ti y entrará para estar contigo.

Zaqueo se subió a un sicómoro, porque tenía muchos deseos de ver a Jesús. ¿Qué sucedió? El Señor no pasó de largo, sino que El sabía muy bien cuál era el deseo del corazón de este cobrador de impuestos. Dice: *"Cuando Jesús llegó a aquel lugar, alzando la vista le vio y le dijo: Zaqueo, date prisa, desciende; porque hoy es necesario que me quede en tu casa"* (Lc. 19:5). Imaginémonos esta situación: Rodeado, por todas partes, por una multitud de gente, Jesús pasa por la ciudad de Jericó. A la izquierda y a la derecha de la calle, a una cierta distancia uno del otro, se ven los árboles sicómoros. Quizás

La ciudad de Jericó hoy en día

el Señor ya haya pasado por más de veinte de ellos. Pero, ahora, El va justamente hacia aquel árbol al cual se subió Zaqueo. Mira hacia arriba y le dice: *"...date prisa, desciende; porque hoy es necesario que me quede en tu casa."* ¿Qué sucedió? Zaqueo se bajó del árbol y guió a Jesús hacia su casa. A todos los demás, sin embargo, quienes esperaban señales y prodigios de Jesús, él los dejó allí parados.

Hoy, ahora, el Señor se parará allí donde tú te "has subido a un árbol". Porque donde Jesús ve que alguien, lleno de fe, apoyándose en la Palabra de Dios, desea verle a El, encontrarse con El, ser libre de las ataduras, allí, El entra.

¿Cómo fue librado Zaqueo del ídolo del dinero? ¿Se habrá sentado Jesús a levantar un dedo acusador contra Zaqueo, diciendo: "Publicano codicioso, ¿a cuánta gente honesta has engañado para hacerte de una fortuna?" ¡No, al contrario! Todo fue muy diferente: Zaqueo le abrió la puerta al Señor. Jesús entró y se sentó. Después de que Zaqueo cerró la puerta detrás suyo, se paró delante del Señor. En Su inmediata presencia, a la luz de Jesús, repentinamente, Zaqueo fue convencido de su amor al dinero y dijo: *"He aquí, Señor, la mitad de mis bienes doy a los pobres; y si en algo he defraudado a alguno, se lo devuelvo cuadruplicado"* (Lc. 19:8). Por haber buscado Zaqueo, conscientemente, el estar cerca de Jesús y, de esta manera, en Su luz, el ídolo dinero tuvo que irse.

Si tú como cristiano, con gran deseo, lees en la Biblia para ver, en una forma nueva, a Cristo en ella y si tú, en oración, pones tus ojos firmemente en Jesús – entonces, todos los ídolos que han entrado en tu vida, deben salir. Porque ellos no pueden existir en la luz de Jesús – y tú serás totalmente liberado para poder servir a tu Señor sin obstáculos.

El Cristiano

y el Segundo Mandamiento

"*No te harás ídolo ni semejanza alguna de lo que está arriba en el cielo, ni abajo en la tierra, ni en las aguas debajo de la tierra. No los adorarás ni les servirás*" (Ex.20:4-5).

En el segundo de los diez sagrados mandamientos, Dios el Señor le prohibe en forma enfática al pueblo de Israel todo tipo de iconolatría. ¿Qué debemos entender bajo iconolatría? Exodo 20:4 dice: "*No te harás ídolo ni semejanza alguna de lo que está arriba en el cielo, ni abajo en la tierra, ni en las aguas debajo de la tierra.*" En forma general se podría entonces decir, que con la iconolatría se trata de cualquier cosa en este mundo, a lo cual el ser humano le pueda dar un valor tan grande que se convierte para él en una imagen con dimensiones divinas, y hasta en una imagen de Dios. Pero, ¿es esta la respuesta a la pregunta de lo que es la iconolatría, o de lo que Dios nos quiere decir con el segundo mandamiento? Seguramente que no, porque entonces simplemente hablaríamos de idolatría y habríamos llegado otra vez al primer mandamiento. Porque en el primer mandamiento el Señor trató claramente el tema de la idolatría, cuando dice: *"No tendrás dioses ajenos delante de Mí"* (v.3). En el primer mandamiento habla de idolatría e iconolatría en el sentido de que no debemos usar cualquier cosa como Dios, y adorarlo como Dios. ¿Será entonces que en el segundo mandamiento vuelve a hablar de los mismo? Creo que no. ¿Pero qué quiere entonces decir el Señor con este segundo mandamiento? O, para formularlo nuevamente con nuestra pregunta del principio:

"¿Qué es la iconolatría?"

Cuando el Señor en el segundo mandamiento dice: *"No te harás ídolo ni semejanza alguna..."*, entonces sencillamente quiere decir, que no debemos hacernos ninguna imagen, ni semejanza o ídolo de El, el Dios vivo. De modo que no debemos poner algo delante de nuestros ojos, por más poderoso y grande que sea, y decir: "¡Ahora tengo una imagen, o símbolo del Dios vivo delante mío!" Esta verdad es confirmada en Isaías 40:18-25, donde el Señor mismo dice lo siguiente: *"¿A quién, pues, asemejaréis a Dios, o con qué semejanza le compararéis? El artífice funde el ídolo, el orfebre lo recubre de oro y el platero le hace cadenas de plata. El que es muy pobre para tal ofrenda escoge un árbol que no se pudra; se busca un hábil artífice para erigir un ídolo que no se tambalee. ¿No sabéis? ¿No habéis oído? ¿No os lo han anunciado desde el principio? ¿No lo habéis entendido desde la fundación de la tierra? El, es el que está sentado sobre la redondez de la tierra, cuyos habitantes son como langostas; El, es el que extiende los cielos como una cortina y los despliega como una tienda para morar. El, es el que reduce a la nada a los gobernantes, y hace insignificantes a los jueces de la tierra. Apenas han sido plantados, apenas han sido sembrados, apenas ha arraigado en la tierra su tallo, cuando El sopla sobre ellos, y se secan, y la tempestad como hojarasca se los lleva. ¿A quién, pues, me haréis semejante para que yo sea su igual? dice el Santo."* ¿Contra quién o contra qué habla el Señor aquí? ¿Contra la idolatría como tal? No, sino contra el hecho que Israel quería convertir

"¿A quién pues asemejaréis a Dios? ¿O con qué semejanza le compararéis?" **Imagen: Estatua de Cristo en Rio de Janeiro, Brasil.**

Su gloria y Su majestad en una imagen y hacerla visible. Al dedir El aquí: *"¿A quién, pues, asemejaréis a Dios? ¿O con qué semejanza le compararéis?... ¿A*

"El es el que está sentado sobre la redondez de la tierra, cuyos habitantes son como langostas; El es el que extiende los cielos como una cortina y los despliega como una tienda para morar."

quién pues me haréis semejante para que yo sea su igual?", El se lamenta del hecho que Israel quería representarlo en forma gráfica y estaba buscando una imagen apropiada de Su persona. Y ese es el contenido del segundo mandamiento: El Señor aquí prohibe a Su pueblo hacerse cualquier imagen de El, el Dios vivo.

¿Por qué no debe haber iconolatría?

¿Por qué Israel en aquel tiempo, y nosotros ahora, no podemos hacer ningún tipo de imagen del Dios vivo? En primer lugar, porque sería una total degradación del Eterno, establecer alguna imagen o estatua en honor del verdadero Dios para hincarse delante de la misma y adorarla. Era eso, después de todo, lo que el gran reformador Martín Lutero, y otros, reclamaban con tanto valor: El terrible culto de imagenes de la iglesia católica-romana.

Pero eso, a mi manera de ver, no es la razón principal por la cual no nos debemos hacer ninguna imagen de Dios. No, sino que existe otra cosa que seguramente es mucho más importante: En el momento en que nosotros comenzamos a hacernos cualquier tipo de imagen del Señor, entramos en un área que solamente le pertenece a Dios mismo y donde no tenemos absolutamente nada que buscar.

Dios el Señor exhortaba en aquel tiempo a Israel y también ahora a nosotros por medio del segundo mandamiento: *"No te harás ídolo ni semejanza alguna (de Mí)..."*, porque El mismo ya ha puesto una imagen de Su maravillosa majestad sobre esta tierra. En Génesis 1:26 leemos: *"Y dijo Dios: Hagamos al hombre a nuestra imagen, conforme a nuestra semejanza, y ejerza dominio sobre los peces del mar, sobre las aves del cielo, sobre los ganados, sobre toda la tierra, y sobre todo reptil que se arrastra sobre la tierra."* Con las palabras: *"Hagamos al hombre a nuestra imagen, conforme a nuestra semejanza",* el trino Dios –Dios el Padre, Dios el Hijo y Dios el Espíritu Santo– pone Su imagen infinitamente sagrada sobre esta tierra.

Esta imagen, sin embargo, fue destruida totalmente por el primer pecado y solamente podía ser reconstruida en una sola forma: Por medio de la exterminación del culpable. Aquel quien hizo eso tenía que morir, para que Dios pudiera volver a crear una nueva imagen. Y Dios usó esa manera, pero no destruyendo a las personas que habían ensuciado Su imagen, sino al permitir que Su Hijo amado muriera en forma vicaria en la cruz del Calvario. Cuando esta redención estuvo cumplida, Dios pudo manifestar nuevamente Su imagen sobre esta tierra, si bien esto ya no sucedía en la misma forma como allá en el Edén, porque la situación era totalmente diferente. Aquella vez en el Edén, el primer hombre llevaba sobre sí la imagen del Dios santo, y eso en forma exterior. Por eso creemos que las primeras personas deben haber sido increíblemente preciosas y perfectas. Pero ahora, después de la muerte redentora de Jesucristo, todas las personas que se han dejado redimir por la sangre del Cordero, llevan la imagen del trino y santo Dios dentro de sí. De eso habla Colosenses 3:3: *"Porque habéis muerto, y vuestra vida está escondida con Cristo en Dios."* Estas pocas palabras testifican con poderosa grandeza y poder del hecho que la imagen del trino y santo Dios está nuevamente sobre esta tierra, y eso en todos aquellos que han aceptado la sangre de Jesús como redención. Cuán poderoso es ese hecho: Por peor que nos vaya exteriormente, eso no puede afectar el interior

"Y dijo Dios: Hagamos al hombre a nuestra imagen, conforme a nuestra semejanza; y ejerza dominio sobre los peces del mar, sobre las aves del cielo, sobre los ganados, sobre toda la tierra, y sobre todo reptil que se arrastra sobre la tierra."

de la persona, es decir la imagen de Dios en el renacido, porque está escrito: *"Por tanto no desfallecemos, antes bien, aunque nuestro hombre exterior va decayendo, sin embargo nuestro hombre interior se renueva de día en día"* (2.Co.4:16).

Seguramente ahora tenemos una tenue idea del por qué nunca y en ninguna manera debemos hacernos una imagen del todopoderoso Dios. Porque si nos hemos dejado redimir por la sangre de Su Hijo, nosotros mismos somos Su imagen en esta tierra. En este sentido hago memoria de 2 Corintios 3:3, donde Pablo escribe a los corintios: *"Siendo manifiesto que sois una carta de Cristo..."* También aquí el apóstol habla de la imagen del santo Dios, la cual nosotros, que creemos en Jesucristo, hemos incorporado. ¿No es este un hecho maravilloso sobremanera?

El alto llamamiento de los hijos de Dios de ser portadores de la maravillosa imagen de Dios, encierra en sí, una gran responsabilidad. Porque los cristianos renacidos a toda costa también deben vivir y andar de acuerdo a eso. Pedro dijo a las mujeres creyentes: *"Vuestro adorno...sea el ser interior, con el adorno incorruptible de un espíritu tierno y sereno, lo cual es precioso delante de Dios"* (1 Pedro 3:3-4). Si Pedro aquí habla del *"ser interior con el adorno incorruptible de un espíritu tierno y sereno"*, entonces habla de la imagen de Dios en el ser humano –una imagen debe y puede llegar a ser cada vez más maravillosa, y eso en todos los creyentes, tanto en las mujeres como en los hombres, en jóvenes, muchachas y niños.

¿Pero cómo se realiza eso? ¿Qué significa vivir de acuerdo al alto llamamiento de ser una imagen de Dios en la tierra? En este lugar quisiera indicar dos aspectos muy especiales al respecto:

1. Obediencia hacia el Señor

2. Respeto o valoración hacia el prójimo.

Estos dos atributos son indispensables para ser verdaderamente una imagen de Dios en la tierra.

1. Obediencia hacia el Señor

Hablemos primeramente sobre lo contrario, la desobediencia. En Génesis 1:26 está escrito: *"Y dijo Dios: Hagamos al hombre a nuestra imagen, conforme a nuestra semejanza."* ¿Qué fue lo que destruyó esa primera imagen de Dios en la tierra? O, para preguntarlo de otra forma: ¿Qué tipo de primer pecado era el que aquella vez causó esa enorme desarmonía entre Dios y los seres humanos? ¡La desobediencia! En Génesis 3:17 leemos: *"Entonces dijo a Adán: Por cuanto has escuchado la voz de tu mujer y has comido del árbol del cual te ordené, diciendo: 'No comerás de él', maldita será la tierra por tu causa; con trabajo comerás de ella todos los días de tu vida."* Con eso se terminó la imagen de Dios sobre la tierra. Estaba destruida.

¿Qué hizo que el primer rey de Israel perdiera su reino? ¡La desobediencia! El profeta Samuel debió decirle a Saúl: *"¿Por qué, pues, no obedeciste la voz del Señor, sino que te lanzaste sobre el botín e hiciste lo malo ante los ojos del Señor?...Por cuanto has desechado la palabra del Señor, El también te ha desechado para que no seas rey"* (1 Samuel 15:19,23b). El rey, antes de ser desechado, verdaderamente había representado la imagen de Dios, porque después de que Samuel lo ungiera, él le dijo a Saúl: *"Y el Espíritu del Señor vendrá sobre ti...y serás cambiado en otro hombre...¡Dios está contigo!"* (1.Samuel 10:6-7). ¿No son estas las palabras que hablan de un ser humano sobre el cual yacía la imagen del Dios vivo? Más allá de eso, Saúl también debió tener algo exteriormente que hacía recordar la gloria del primer ser humano en el paraíso, ya que leemos acerca de él: *"Y...Saúl (era) favorecido y hermoso. No había otro más hermoso que él*

"...maldita será la tierra por tu causa; con trabajo comerás de ella todos los días de tu vida."

entre los hijos de Israel, de los hombros arriba sobre-
pasaba a cualquiera del pueblo" (1 Sam.9:2). Aún así,
toda esta gloria fue destruida por su desobediencia.

¿Por qué un hombre de Dios, quien con mucho poder había ejecutado una orden del Señor, después fue
muerto por un león? ¡Porque inmediatamente después
de su valiente proceder cayó en desobediencia! Dice
acerca de este hombre de Dios: *"Porque has desobede-*
cido al mandato del Señor...tu cadáver no entrará en
el sepulcro de tus padres... Y cuando éste había parti-
do, un león lo encontró en el camino y lo mató" (1.Re-
yes 13:21-22,24). Que ese hombre había sido verdaderamente un representante y una imagen del Dios todopoderoso, lo demuestra el hecho de que en los
versículos que narran su historia quince veces es denominado "hombre de Dios".

¿No son esas pruebas sumamente claras de que la
desobediencia es capaz de destruir la imagen del Dios
todopoderoso en nosotros? ¡La obediencia, por el contrario, es sumamente importante para poder realmente ser un portador de la imagen del Dios eterno!

En la Biblia hay muchos ejemplos de verdadera
obediencia. Recordemos al siervo de Moisés, Josué.
Este hombre era incondicionalmente obediente a Moisés. Cuando los israelitas durante su tiempo en el desierto, acampaban en Rafidim, los amalecitas ataca-
ron el pueblo de Israel. Moisés inmediatamente dio la
orden a Josué de hacerle guerra a este pueblo ladrón.
¿Cómo reaccionó Josué ante esta orden? Leemos: *"Y*
Moisés dijo a Josué: Escógenos hombres, y sal a pelear
contra Amalec... Y Josué hizo como Moisés le dijo, y
peleó contra Amalec" (Ex.17:9a,10a). Sabemos que durante toda la batalla Moisés intensivamente interce-
día por Josué y sus hombres, y que por eso los amalecitas fueron vencidos (v.11-13). Pese a eso, fue la obe-

"Un león lo encontró en el camino y lo mató"

diencia incondicional de Josué también, lo que contribuyó a ese éxito. ¿Cómo se manifiesta esa obediencia? Cuando Moisés le dio a su siervo la orden de pelear, Josué no hizo preguntas. El no puso objeciones, no expresó dudas y tampoco planteó a Moisés ideas propias. Sencillamente dice: *"Y Josué hizo como Moisés le dijo."* Si tuviéramos más de este tipo de disposición en nuestros corazones, incorporaríamos mucho mejor y en forma más gloriosa la imagen de Dios en esta tierra. ¡Si simplemente hiciéramos todo lo que Dios en Su Palabra pide de nosotros, muchas cosas marcharían mucho mejor!

Un buen número de nuestros problemas se deben a nuestra obstinada desobediencia. Muchas derrotas en el campo de la fe surgen porque en alguna cosa no hemos sido obedientes. Y muchas pruebas de fuego en nuestra vida no sabemos superarlas porque una y otra vez nuestro carácter rebelde y adámico nos hace zancadillas.

¿No deberíamos unirnos a Josué, de quien dice tan sencilla y poderosamente: *"Josué hizo como le dijo Moisés"* (Ex.17:10)? Una actitud de este tipo cambiaría muchas cosas en nuestra vida para bien. Seguramente el Señor solamente está esperando que nosotros renovemos nuestra posición de obediencia frente a El, para que Su imagen pueda resplandecer nuevamente en nosotros!

Si confesamos creer en Jesucristo, entonces eso naturalmente también contiene como condición que Le obedezcamos. Porque la fe nunca puede ser separada de la obediencia. Al contrario. Uno de los primeros frutos de la fe es la obediencia. De Abraham no solamente dicen las Escrituras: *"Creyó Abraham a Dios y le fue contado por justicia"* (Ro.4:3; Gn.15:6), sino también: *"Por la fe Abraham, siendo llamado, obedeció para salir al lugar que había de recibir como herencia; y salió sin saber a dónde iba"* (He.11:8). Con

Y muchas pruebas de fuego en nuestra vida no sabemos superarlas porque una y otra vez nuestro carácter rebelde y adámico nos hace zancadillas.

eso se dice claramente, que la verdadera fe y la obediencia incondicional son una pareja inseparable. Que
esta cualidad pueda estar profundamente inscrita en
nuestros corazones, para que seamos capaces de representar la imagen de Dios en esta tierra. Porque
hay que reiterarlo: La primera imagen de Dios, que el
Señor mismo puso sobre la tierra, fue destruida por la
desobediencia.

2. Respeto, o sea, valoración del prójimo

En Santiago 3:8-9 está escrito: *"Pero ningún hombre puede domar la lengua, que es un mal que no puede ser refrenado, llena de veneno mortal. Con ella bendecimos al Dios y Padre y con ella maldecimos a los
hombres, que están hechos a la semejanza de Dios"*
Nuestro prójimo también fue "creado a la imagen de
Dios", también él lleva la semejanza del Altísimo en
su exterior, o quizás también dentro de sí. ¡Cuán
enormemente importante es ese hecho en nuestra vida cristiana!

Para que podamos valorar eso correctamente, volvemos otra vez a la guerra de los israelitas contra
Amalec. En los versículos que hablan de esta batalla,
dice entre otras: *"Josué hizo como le dijo Moisés y salió a pelear contra Amalec... Y Josué deshizo a Amalec
y a su pueblo a filo de espada"* (Exodo 17:10,13). Si
uno no conociera la historia de esta batalla y simplemente apartara estos versículos de su contexto, uno
podría suponer que Josué se enfrentó solo a los amalecitas. Pero por supuesto que eso no sucedió así, y
más porque Josué tenía todo un ejército detrás de él.
Aun así dice: *"Josué...peleó contra Amalec... Y Josué
deshizo a Amalec y a su pueblo a filo de espada"*. Eso

significa, que Josué y todo su ejército eran como de una sola pieza; que allí donde estaba Josué, también se encontraban miles de otros hombres israelitas; que en el momento en que Josué levantaba su espada, eran levantadas muchas otras espadas también. Cuando se habla de Josué, se habla de todo un ejército.

¡Cuan grande era la unidad entre Josué y sus hombres, y cuánto contribuyó esto a la victoria! Aunque la victoria se debía mayormente a la oración de Moisés, seguramente la batalla habría terminado diferente, quizás más violenta o con mayores pérdidas, si Josué y su ejército no hubieran luchado como un solo hombre. ¿Por qué Josué y todos sus hombres podían luchar allí como un solo hombre? ¿Porque cada uno encontraba que los otros eran muy simpáticos y se querían tanto, o porque tenían una actitud maravillosa unos con otros? Creo que no. Más bien creo, que Josué y sus hombres pudieron luchar allí como si fueran de una sola pieza, porque sencillamente se aceptaban los unos a los otros totalmente, porque cada cual pensaba del otro: También él lucha la misma batalla que yo, también se encuentra en la misma situación que yo, también él tiene el mismo general que yo. Pero aun más: Cada uno de estos soldados sabía que no sobreviviría por el simple hecho de poder esquivar todas las flechas y lanzas enemigas, sino que su vida también dependía del comportamiento del vecino que luchaba a su lado. De este modo, uno dependía del otro. Esto convertía a todo el ejército de Josué en un bloque firme, el cual se oponía al enemigo con gran poder.

¡Oh, que nosotros como iglesia de Jesucristo tuviéramos más de este tipo de actitud! Qué bueno sería si aceptáramos que no somos nosotros solos los que encarnan la imagen de Dios en la tierra, sino que mi prójimo, quien también cree en Jesús, lo ha-

"Pero ningún hombre puede domar la lengua, que es un mal que no puede ser refrenado, llena de veneno mortal. Con ella bendecimos al Dios y Padre y con ella maldecimos a los hombres, que están hechos a la semejanza de Dios"

ce del mismo modo que yo! Que de una vez por todas podamos aceptar que la iglesia de Jesucristo en la tierra está formada de muchas almas, y no solamente de unos pocos escogidos, que tienen la misma manera de pensar que nosotros. Si tomaramos esto más en cuenta, los sentimientos de simpatía y antipatía jugarían un rol mucho menor en nuestras vidas.

¿No deberíamos en este sentido volver a recordar lo que significa, que la imagen de Dios se encuentra en esta tierra por haber hallado lugar en todos los creyentes? Es un asunto de vida o muerte que llevemos esta actitud en nosotros, y más porque no podemos los unos sin los otros, así como tampoco en el ejército de Josué ninguno podía sin el otro. Pablo con respecto a esto nos enseña claramente: *"De la manera que en un cuerpo tenemos muchos miembros, pero no todos los miembros tienen la misma función, así nosotros, siendo muchos, somos un cuerpo en Cristo, y todos miembros los unos de los otros"* (Ro.12:4-5). En 1 Corintios 12:14-20, donde Pablo trata el mismo tema, él escribe: *"Además, el cuerpo no es un solo miembro, sino muchos. Si dijera el pie: Como no soy mano, no soy del cuerpo, ¿por eso no sería del cuerpo? Y si dijera la oreja: Porque no soy ojo, no soy del cuerpo, ¿por eso no sería del cuerpo? Si todo el cuerpo fuera ojo, ¿dónde estaría el oído? Si todo fuera oído, ¿dónde estaría el olfato? Pero ahora Dios ha colocado cada uno de los miembros en el cuerpo como él quiso, pues si todos fueran un solo miembro, ¿dónde estaría el cuerpo? Pero ahora son muchos los miembros, aunque el cuerpo es uno solo."* De modo, que en realidad nadie puede sin el otro, ya que, si realmente todos somos miembros del cuerpo de Jesús, dependemos los unos de los otros como una mano depende de la otra.

Pero lastimosamente, en la iglesia de Jesús muchas veces sucede lo que Pablo tuvo que escribir en Gálatas 5:15: *"Pero si os mordéis y os coméis unos a otros, mirad que también no os destruyáis unos a otros."* Si esta hubiera sido la actitud que los hombres de Josué tenían entre ellos, habría ocurrido una ca-

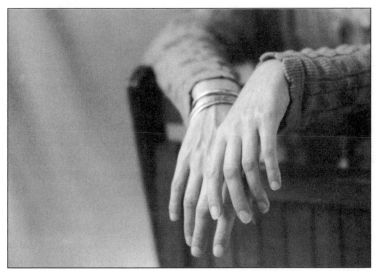

"Además, el cuerpo no es un solo miembro, sino muchos. Si dijera el pie: Como no soy mano, no soy del cuerpo, ¿por eso no sería del cuerpo? Y si dijera la oreja: Porque no soy ojo, no soy del cuerpo, ¿por eso no sería del cuerpo? Si todo el cuerpo fuera ojo, ¿dónde estaría el oído? Si todo fuera oído, ¿dónde estaría el olfato?

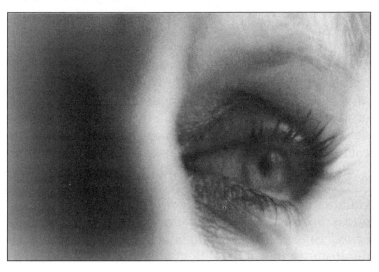

tástrofe en aquel día. La razón por la cual hoy en muchos lugares la imagen de Dios está tan oscurecida, es sencillamente por el triste hecho que –espiritualmente hablando– la gente se "muerde y se come", por lo cual uno no es capaz de representar realmente la imagen del Dios Santo.

¿No sería bueno, por lo tanto, decidir hoy terminar definitivamente con todas estas diferencias y faltas de unidad? Si es así, entonces significa:

1. buscar la paz: *"Si es posible, en cuanto dependa de vosotros, estad en paz con todos los hombres"* (Ro.12:18).

2. respetarnos unos a otros: *"con humildad, estimando cada uno a los demás como superiores a él mismo"* (Fil.2:3).

3. cumplir la ley real: *"Si en verdad cumplís la Ley suprema, conforme a la Escritura: «Amarás a tu prójimo como a ti mismo», bien hacéis"* (Stg.2:8).

4. perdonarnos unos a los otros: *"Antes sed bondadosos unos con otros, misericordiosos, perdonándoos unos a otros, como Dios también os perdonó a vosotros en Cristo."* (Ef.4:32).

5. estar dispuestos a sufrir injusticia: *"Ciertamente, ya es una falta en vosotros que tengáis pleitos entre vosotros mismos. ¿Por qué no sufrís más bien el agravio? ¿Por qué no sufrís más bien el ser defraudados?"* (1.Co.6:7).

¿Qué imagen tenemos de Cristo?

Está claro que de ningún modo debemos hacernos algún tipo de imagen que nos represente al Dios grande e invisible. En cuanto a ésto, los que pertenecemos a Jesús somos cristianos maduros. Y también tengo la esperanza que nos haya quedado claro quién debe incorporar la imagen de Dios aquí en la tierra. Todo ser humano que sea un fiel cristiano, que viva en profunda comunión con el Cordero de Dios, es imagen y reflejo de Su gloria.

Pero fácilmente puede suceder que nosotros –en lo que respecta a nuestra relación personal con Cristo– tengamos una imagen totalmente errada de El. Entendamos bien: No hablo de la imagen general del Dios vivo en esta tierra, sobre todo ser humano nacido de nuevo. No, sino que ahora hablo de la imagen muy personal que todo cristiano renacido tiene de su Señor. ¡Cuán grandes diferencias existen allí! Algunos cristianos solamente conocen a un Dios de amor, otros a un Dios que castiga y disciplina, y otros solamente Lo conocen como a un Dios y Señor muy lejano.

¿Qué imagen tienes tú de Jesucristo? Contestar correctamente esta pregunta quizás sea mucho más importante de lo que tú creas. Pues créeme: Le duele al Señor que tú tengas una imagen tan equivocada de El. Eso para El es "idolatría" prohibida en el segundo de Sus mandamientos. Romanos 1:23-24 dice lo siguiente al respecto de personas que se han adueñado de una imagen equivocada de Dios: *"Cambiaron la gloria del Dios incorruptible por imágenes de hombres corruptibles, de aves, de cuadrúpedos y de reptiles. Por lo cual, también los entregó Dios a la inmundicia, en los apetitos de sus corazones..."* Esta palabra puede no ser para ti, pero testifica muy insistentemente de las terribles consecuencias de la idolatría, también a nivel espiritual. Por eso es tan infinitamente importante, que tú te apropies de la única y verdadera imagen de tu Salvador, y más porque ya vivimos en un tiempo en el cual el espíritu del Anticristo se hace sentir más y más.

"*Antes sed bondadosos unos con otros, misericordiosos, perdonándoos unos a otros, como Dios también os perdonó a vosotros en Cristo.*"

¿Sabes cuál será una de las peores acciones del Anticristo? Que él establecerá la más terrible idolatría que jamás haya existido. El seducirá a la gente que vivirá en la tierra en esa época y hará una imagen para que se le adore. En Apocalipsis 13:14 leemos, que la gente que en ese entonces viva en la tierra, será llamada a *"que le hagan una imagen a la bestia que fue herida de espada y revivió"*. Y en Apocalipsis 13:15 dice, *"que la imagen... (hará) matar a todo el que no la adorara."*

El espíritu del Anticristo ya está entre nosotros ahora y trata de hacer que a la gente le guste la perniciosa idolatría –si bien la forma de imponer sobre nosotros la imagen del Anticristo aun no se ha revelado. Pero él hace lo posible por iniciar esta idolatría, haciendo que entre los cristianos se desfigure la imagen del Señor Jesucristo.

¿No hace esto que sea asunto de vida o muerte, apropiarse de la única y verdadera imagen de Jesucristo? Si tú estás de acuerdo con ésto, entonces te mostraré ahora el único camino por el cual puedes llegar a esta imagen: Solamente a través de la Palabra de Dios. Jesús una vez dijo acerca de las Sagradas Escrituras: *"ellas son las que dan testimonio de mí"* (Jn.5:39). Y en la historia de los discípulos de Emaús leemos: *"Y comenzando desde Moisés y siguiendo por todos los profetas, les declaraba en todas las Escrituras lo que de él decían"* (Lc.24:27). ¿Quieres apropiarte de la única imagen verdadera de Jesucristo? ¡En ese caso es necesario que leas diariamente la Biblia, y sin lugar a dudas serás llenado cada vez más con la única imagen verdadera del Cordero de Dios, Jesucristo!

El Cristiano

y el Tercer Mandamiento

"*No tomarás en vano el nombre de Jehovah tu Dios, porque Jehovah no dará por inocente al que tome su nombre en vano*" (Exodo 20:7).

Este tercer mandamiento habla un idioma muy claro, de manera que, en realidad, no sería necesario explicar más el sentido de estas palabras. Pero, aun así, nos ocuparemos más extensamente de ellas a continuación:

Si queremos comprender el tercer mandamiento: "*No tomarás en vano el nombre de Jehovah tu Dios*", en toda su dimensión, debemos, primeramente, estar convencidos de la inmensa gloria, santidad y grandeza de Su nombre. Entonces, nos será mucho más fácil poder aceptar y obedecer, verdaderamente, este mandamiento.

En la Biblia existen más de 600 nombres para el Dios trino. Estos nombres contienen riquezas tan grandes que no podemos, realmente, captarlas con nuestra mente humana. Pues, cada uno de los nombres del Señor contiene un evangelio, una revelación de una de Sus muchas y maravillosas características, un hacerse visible de la gran riqueza existente en Cristo. Así, por ejemplo, en Cantares 1:3 dice en forma profética acerca del nombre del Señor: "...*Tu nombre es como perfume derramado*..." Este "perfume derramado" testifica de una riqueza fenomenal, casi derrochadora. Y, de hecho, hay riquezas de este tipo escondidas en el nombre del Señor. Porque el texto bíblico: "...*Tu nombre es como perfume derramado*..." indica, proféticamente, en forma maravillosamente clara, el Calvario donde, en verdad, se hizo el "derroche" más grande de todos los tiempos. Porque allí se derramó lo más valioso que jamás hubiera existido sobre la tierra: ¡la sangre de Jesús! Pero, a través de este hecho derrochador, de este derramamiento de la vida de Jesús, se hizo verdad lo profetizado en Joel 3:5 y que fue confirmado, más adelante, por Pablo en Romanos 10:13: *"Porque todo aquel que invoque el nombre del Señor será salvo."* El maravilloso poder que reside en el nombre de Jesús consiste en que todo ser humano, por más malo y pervertido que sea, puede ser salvado en el mismo momento en que invoca ese nombre –el nombre de Jesús. Por lo tanto, desde el Gólgota también es válido el grandioso mandato misionero: *"Por tanto, id y haced discípulos a todas las naciones, bautizándoles en el nombre del Padre, del Hijo y del Espíritu Santo"* (Mt. 28:19). No somos llamados solamente a ir, predicar y bautizar; sino a hacerlo solamente *"en el nombre del Padre, del Hijo y del Espíritu Santo"*, o, resumiendo, en el nombre de Jesucristo (Hch. 2:38).

¡Qué poder, qué gloria, la que se encuentra en el nombre del Dios trino!

La primera iglesia contaba, en forma concreta, con este poder en el nombre de Jesús. Cuando Pedro y Juan volvieron a unirse con ellos, después de haber

El Calvario donde, en verdad, se hizo el "derroche" más grande de todos los tiempos. Porque allí se derramó lo más valioso que jamás hubiera existido sobre la tierra: ¡la sangre de Jesús! Foto: Gólgota

estado detenidos por el Sanedrín a causa de la sana-
ción de un cojo, escuchamos a toda la primera iglesia
de Jerusalén orando: *"Y ahora, Señor, mira sus ame-
nazas y concede a tus siervos que hablen tu palabra
con toda valentía. Extiende tu mano para que sean hechas sanidades, señales y prodigios en el nombre de tu
santo Siervo Jesús"* (Hch. 4:29-30). ¡En el nombre del
Dios trino existe un poder mucho más grande de lo
que jamás podamos imaginar!

Lugar de bautismos en el Jordán. *"Por tanto, id y haced discípulos a todas las naciones, bautizándoles en el nombre del Padre,
del Hijo y del Espíritu Santo"*

Pero, precisamente, ésa es también la razón por la cual nosotros, los seres humanos, por nuestra manera puramente intelectual de pensar, no somos capaces de captar ni siquiera una pequeña parte de la gloria de este nombre del Dios trino. Pienso aquí en Moisés: Cuando Dios lo envió a Egipto para sacar a Su pueblo de allí, él le hizo al Señor la siguiente pregunta: *"Supongamos que yo voy a los hijos de Israel y les digo: El Dios de vuestros padres me ha enviado a vosotros. Si ellos me preguntan: ¿Cuál es su nombre?, ¿qué les responderé?"* (Ex. 3:13). Moisés, sencillamente, quería saber el nombre del Señor para tener algo en manos cuando los israelitas, en Egipto, le preguntaran sobre el mismo. Pero la respuesta del Eterno fue: *"... YO SOY EL QUE SOY... Así dirás a los hijos de Israel: YO SOY me ha enviado a vosotros"* (v. 14). En otra traducción dice así: *"Dios dijo a Moisés: YO SERE EL QUE SERE. Y dijo: Así dirás a los israelitas: 'YO SERE' me envió a vosotros."* Sea como sea la manera de traducir estas palabras, una cosa está clara: Dios aquí no se quiso revelar con un nombre directo, sino solamente con un "YO SOY" o "YO SERE". ¿Por qué? Porque, en aquel entonces, los hijos de Israel no habrían sabido qué hacer con el nombre más hermoso y más maravilloso de Dios, ni habrían podido comprenderlo. Esto tiene sentido, porque debemos pensar lo siguiente: Todo lo que tenga que ver con el Dios todopoderoso proviene de la eternidad. Por eso nosotros, los seres humanos, con nuestro pensamiento, limitado por el tiempo, sencillamente no somos capaces de captar ni siquiera algo de la grandeza y del poder de Dios, a no ser que Dios nos lo revele. Y Dios se revela a nosotros, pero solamente en la manera que El desea hacerlo. De este modo, nosotros, los creyentes del nuevo pacto, podemos hoy dirigirnos a Su amado Hijo por Su nombre, es decir, podemos decirle "Señor Jesús". Esto es un regalo. Pero en aquel tiempo, en la época de Moisés, ese nombre aún no estaba a disposición.

Hay otro ejemplo más en el cual podemos ver, claramente, que el nombre del Señor en el antiguo pacto todavía estaba oculto. Pienso en Manoa, el padre de Sansón. Después que el ángel del Señor –forma en la cual el Señor Jesús se presentaba en el Antiguo Tes-

Moisés, sencillamente, quería saber el nombre del Señor para tener algo en manos cuando los israelitas, en Egipto, le preguntaran sobre el mismo. Foto: Pirámides en Egipto

tamento– hablara con él, leemos lo siguiente: *"Entonces Manoa preguntó al ángel de Jehovah: ¿Cuál es tu
nombre, para que te honremos cuando se cumpla tu
palabra? El ángel de Jehová le respondió: ¿Por qué
preguntas por mi nombre? ¡Es demasiado admirable!"*
(Jueces 13:17-18). En otras palabras: No podrás comprender el profundo y eterno significado de este nombre; el mismo es demasiado maravilloso y sobrepasa
tu poder de comprensión. Lo mismo le sucedió a Jacob
en el vado del Jaboc, después de que él había luchado
toda la noche con un hombre desconocido –con el ángel del Señor. Leemos en Génesis 32:29: *"Entonces Jacob le preguntó diciendo: –Dime, por favor, ¿cuál es tu
nombre? Y él respondió: –¿Por qué preguntas por mi
nombre? Y lo bendijo allí."* En otras palabras: ¿Por
qué preguntas por algo que, de todos modos, no podrás comprender?

Esta grandeza del nombre del Señor y el hecho de
que, para nosotros, sea imposible comprender la misma ¿no demuestra, con toda claridad, que el tercer
mandamiento: *"No tomarás en vano el nombre de Jehová tu Dios"*, es un mandamiento convincente y necesario? ¿No nos muestra que algo que, de todos modos, no podemos comprender con nuestra mente humana, tampoco lo podemos bajar a nuestro nivel
humano?

Infracciones contra
el tercer mandamiento

Con esto, llego, en forma directa, a la clave de
nuestro tema y quisiera mencionar un punto el cual,
estoy convencido, constituye una infracción contra el
tercer mandamiento. Hace unos años había unos ad-

hesivos que decían: "Si tu dios está muerto, toma el mío", y "En mi caso, Dios es el copiloto". Todavía hay adhesivos semejantes en la vuelta, pero estos dos se me grabaron de tal forma en la memoria, que quisiera mencionarlos en el contexto de este mensaje. A mi manera de ver, son una absoluta degradación del sagrado nombre del Señor y, por eso, una infracción contra el tercer mandamiento: *"No tomarás en vano el nombre de Jehová tu Dios"*. No dudo que los cristianos que usaban estos adhesivos lo hacían con las mejores intenciones. Pero estoy convencido que, aún así, era una manera equivocada de querer proclamar al Señor; porque no se puede usar Su santo nombre de esta manera.

Seguramente, los cristianos que usaban esos adhesivos y aquellos que hoy usan textos semejantes, saben que el Dios eterno es santo. Si se les preguntara: "Dime, ¿qué piensas de nuestro Dios?", la respuesta quizás sería: "Nuestro Dios celestial es santo." Pero ellos olvidan que, con sus textos, lo bajan a un nivel humano y lo degradan sobremanera, y que el nombre de ese Dios santo y eterno es tan sagrado como Él mismo. Lo extraño en todo este asunto es que, por un lado, uno quiere servir a Dios y, por otro, usa el nombre del Dios todopoderoso y santo en una manera muy descuidada y banal. Pero, justamente, eso es completamente equivocado y hasta peligroso, porque un mandato estricto del Señor dice: *"No profanéis mi santo nombre, pues yo he de ser santificado en medio de los hijos de Israel. Yo soy Jehovah..."* (Lv. 22:32). Aquí Dios muestra, con toda claridad, que Su persona no puede ser separada de Su nombre. Por el contrario, Él aquí menciona el homenaje, la santificación de Su nombre, como condición para que pudiera ser santificado en medio de Su pueblo. Si Su nombre no era

homenajeado, sino profanado, eso tendría como consecuencia que Israel no sería confrontado con la santidad de Su persona. Por eso, el Señor dijo, acerca del
ángel a quien El enviaría para liderar al pueblo: *"He
aquí, yo envío un ángel delante de ti, para que te guarde en el camino y te lleve al lugar que yo he preparado. Guarda tu conducta delante de él y escucha su voz.
No le resistas, porque él no perdonará vuestra rebelión, pues mi nombre está en él"* (Ex. 23:20-21). Además de que, por el Nuevo Testamento sabemos que
ese ángel era el Señor Jesús –si bien todavía en forma
velada–, es muy significativo que aquí el nombre del
Dios de los cielos y de la tierra, en cierto sentido, sea
mencionado como realización, o puesta en vigor, de la
santidad de Dios. El Señor no dice que el ángel *"no
perdonaría la rebelión"* de ellos por ser el ángel del
Señor, sino porque *"Mi nombre"* (el nombre del Dios
todopoderoso) *"está en él"*. De modo que era el nombre
del Supremo, el cual –después de haber sido puesto
"en" o *"sobre"* el ángel– en cierto sentido, representa-
ba la santidad del Señor; era la expresión, la revelación, de la santidad de Dios.

Cuando Dios introdujo la bendición sacerdotal, lo
hizo con las palabras: *"Habla a Aarón y a sus hijos
y diles que así bendeciréis a los hijos de Israel. De-
cidles: Jehová te bendiga y te guarde. Jehová haga
resplandecer su rostro sobre ti, y tenga de ti misercor-
dia. Jehová levante hacia ti su rostro, y ponga en ti
paz. Así invocarán mi nombre sobre los hijos de Israel, y yo los bendeciré"* (Nm. 6:23-27). También aquí
es el nombre del Señor el que revela, o simboliza, la
santidad del Señor y, de este modo, Israel sería bendecido. El Señor con esto, en cierto sentido, decía:
Cuando ustedes pronuncien estas palabras de bendición sobre los israelitas, entonces pondrán Mi nom-

bre sobre ellos. Eso era, y es hasta hoy, la esencia de la bendición aarónica.

Por todas las razones mencionadas, nunca deberíamos darnos el lujo de separar el nombre del Señor del Señor mismo. En otras palabras: respetar al Señor mismo como santo, pero usar Su nombre (¡que es tan santo como El!) en forma liviana e imprudente. Para que esto quede aún más claro, usaré otro ejemplo más:

El general Henri Guisan

Durante la Segunda Guerra Mundial, en Suiza (en caso de que este país tuviera que adherirse a la guerra), se eligió un general de entre los altos Jefes de Ejército. El elegido fue Henri Guisan (1874-1960). Este hombre, de quien se dice que era un verdadero cristiano, tenía una personalidad tan fuerte y positiva que las personas, que tenían contacto con él, quedaban profundamente impresionadas por su manera de ser. Además, tenía un contacto especialmente bueno con los jóvenes reclutas a quienes a veces, simplemente, rodeaba con el brazo como un padre.

Yo conocí a un hombre que fue recluta en ese tiempo. Llamémosle Juan. El me contó lo siguiente:

Un día, cuando yo volvía cansado y agotado de una guardia nocturna, me encontré con un soldado a caballo. Como había mucha niebla y todavía estaba oscuro, no pude reconocer al jinete. Por eso, sencillamente lo saludé con un "buenos días". El soldado, por su parte, me saludó de la mejor manera militar y siguió su camino. Después, escuché que este soldado a caballo no había sido nada menos que el mismo General Guisan.

**El general
Henri
Guisan**

¿Cómo reaccionó Juan al ser confrontado con esta verdad? Estaba profundamente arrepentido de su comportamiento descuidado hacia su general. Le costó bastante sobreponerse a este asunto, tan importante para él.

¿Por qué mencioné este acontecimiento? No para hablar del equivocado comportamiento militar de Juan sino, más bien, para mostrar que Juan tenía un gran respeto por este general. Que ése era el caso, lo demostró su reacción al escuchar que el soldado a ca-

ballo había sido su general. Sí, para Juan, Henri Guisan era un hombre a quien él honraba mucho, en el
cual tenía confianza y eso, también, porque este general, al igual que él, era un verdadero cristiano.

Este hombre para él, como para muchos otros reclutas y soldados de aquella época, era símbolo de seguridad y, tanto más, porque irradiaba paz interior. De modo que, a este simple recluta Juan y a su general, los
unía un fuerte cordón espiritual. No es de asombrarse,
entonces, que Juan estuviera tan escandalizado por su
mal comportamiento militar hacia su general.

Pero ahora voy a lo que realmente quise decir con
este ejemplo: El hecho de la existencia de este cordón espiritual entre Juan y su general, y del enorme
respeto que él tenía hacia ese hombre, en el que realmente confiaba, no le permitía usar su amado y hon-
rado nombre en forma liviana. Este general no andaba con un papelito que decía: "Guisan es el mejor", o
"¡Si todos los generales fracasan – Guisan no fraca-
sa nunca!" ¡De ningún modo! Por el contrario, según
lo que puedo recordar, Juan hablaba con palabras
apropiadas y, con mucho respeto, del General Guisan.

De la misma forma sucede con nosotros: A las personas a quienes respetamos, a quienes consideramos
como ejemplo, que una y otra vez nos impresionan
profundamente, no las rebajamos usando su nombre
en forma liviana. Eso está muy lejos nuestro, porque
esa persona es demasiado valiosa para nosotros.

Menachem Begin y el Dios de Israel

Todavía puedo recordar muy bien cuando mi padre,
junto a unas pocas personas, visitaron al Primer Ministro israelí de aquel entonces, Menachem Begin, en

Wim Malgo visitando al Primer Ministro de aquel entonces, Menachem Begin.

su oficina en la Knesset. También yo estuve presente. Todavía me gusta mirar una fotografía en la cual Menachem Begin pone, muy amigablemente, su brazo alrededor de mis hombros; para eso se había sentado especialmente conmigo en el sofá.

¿Será que por haber experimentado esto yo, más adelante, habría llevado una remera con la inscripción: "Menachem es el más grande", o "Menachem es mi amigo"? ¡Naturalmente que no! Porque con eso no

Deshonramos el nombre del Señor, si con el mismo automóvil, sobre el cual está pegado un adhesivo con el nombre Jesús, nos convertimos en infractores de alguna ley de tránsito. Por ejemplo, atravesar el cruce cuando el semáforo estaba en rojo

habría hecho otra cosa que rebajar la persona de este gran hombre a mi nivel.

Pero ahora la pregunta decisiva: ¿Por qué, entonces, tantos de nosotros tratamos con tan poco respeto el nombre del Dios santo, quien hizo el cielo y la tierra? ¿Por qué pegamos Su nombre en los automóviles y lo usamos en las remeras? ¿Por qué rebajamos Su nombre, altamente sublime, a un nivel que Lo deshonra profundamente?

Naturalmente existen adhesivos muy decentes, sencillos y discretos, que testifican del Señor. Después de todo, nosotros como Obra Misionera, junto con el compact más nuevo de los cantores de Sion, también hemos publicado dos adhesivos con los textos: "Jesús sigue siendo el más grande" y "Jesús, el único camino". Pero, aún así, también debemos ser muy cuidadosos con estos adhesivos, porque en cuanto los pegamos en el automóvil, de modo que todos los puedan leer, somos un testimonio público. Si entonces cometemos, por ejemplo, una infracción de tránsito, deshonramos, y hasta mal usamos, así, el nombre del Señor. Porque con el mismo vehículo sobre el cual está el nombre de Jesús, nos hemos convertido en pecadores del tránsito, descuidando la preferencia del otro, pasando cuando el semáforo estaba en rojo y/o sobrepasando el máximo de velocidad, etc.

Tomemos en consideración que no podemos fijar el nombre del Señor, en forma barata, en vehículos y en remeras. Si lo queremos hacer como un testimonio, ¡hagámoslo en forma muy íntegra, comportándonos de acuerdo a ello.

Quizás hasta deberíamos pensar si está bien pegar el nombre de Dios o del Señor Jesús sobre un vehículo, sencillamente a causa de la pregunta de si esto es compatible con la santidad del Dios eterno. Quizás, en vez de ello, se podría pegar sobre el automóvil un símbolo como, por ejemplo, el pez, el cual se dice que era la señal de los primeros cristianos, y que tiene un hermoso significado: "Jesucristo, Hijo de Dios, Salvador". Pero aun así debemos considerar que, si con un "pez" en el automóvil, la moto, la mochila escolar, o alguna otra cosa, testificas: Jesucristo, Hijo de Dios, Salvador", entonces, también debes comportarte como un verdadero cristiano y no como alguien del mundo.

Solamente en el Espíritu Santo

Pablo escribió: " *Por tanto, os hago saber que nadie que hable por el Espíritu de Dios dice de Jesús: ¡Sea anatema!, como tampoco nadie puede exclamar: «¡Jesús es el Señor!», sino por el Espíritu Santo"* (1 Co. 12:3). Paralelamente a esto mencionamos el Salmo 50:16-17: *"Pero al malo dijo Dios: ¿Qué tienes tú que hablar de mis leyes y tomar mi pacto en tu boca?, pues tú aborreces la corrección y echas a tu espalda mis palabras."*

Con las fuertes palabras: *"Por tanto, os hago saber que nadie que hable por el Espíritu de Dios dice de Jesús: ¡Sea anatema!,* Pablo testifica claramente, que un ser humano que, voluntariamente, habla mal de Jesús, y hasta lo maldice, no puede ser una persona nacida de nuevo, aun cuando así lo diga de sí mismo.

Por el contrario, dice en la segunda parte del versículo: *"tampoco nadie puede exclamar: ¡Jesús es el Señor!, sino por el Espíritu Santo"* En otras palabras Pablo, aquí, explica que nadie puede nombrar el nombre del Señor Jesús, a no ser que lo haga en el Espíritu Santo. Con eso, hemos llegado directamente al tercer mandamiento: *"No tomarás el nombre de Jehová,*

Quizás hasta deberíamos pensar si está bien pegar el nombre de Dios o del Señor Jesús sobre un vehículo, sencillamente a causa de la pregunta de si esto es compatible con la santidad del Dios eterno.

tu Dios, en vano", o para decirlo con las palabras de Pablo: "No debes expresar el nombre del Señor, tu Dios, a no ser que eso suceda en el Espíritu Santo".

Eso para los hijos de Dios es de mucha importancia porque ¡cuán rápidamente dejamos de estar en el Espíritu Santo! Recordemos tan solamente las exhortaciones de Pablo: *"Y no entristezcáis al Espíritu Santo de Dios, con el cual fuisteis sellados para el día de la redención" (Ef. 4:30)*, y *"No apaguéis al Espíritu"* (1 Ts. 5:19). Existen tantos pensamientos, palabras, hechos, o cosas que no hacemos, con las cuales entristecemos al Espíritu de Dios o hasta lo apagamos. El gran problema es que en el momento en que hemos entristecido o apagado al Espíritu Santo, *ya no estamos más en el Espíritu Santo.* Y eso significa, en su peor consecuencia, que nos hemos hecho culpables del tercer mandamiento, en caso que en esa situación hayamos nombrado, de alguna forma, el nombre del Señor Jesús. Si bien eso suena muy extremista, realmente es la verdad. Cuántas veces ya hemos pecado contra el tercer mandamiento, si tenemos esto en cuenta. Después de todo, no se trata solamente que en un momento así, cuando hemos entristecido o apagado al Espíritu Santo, no podamos expresar debidamente el nombre del Señor. No, el asunto es mucho peor: ¡Entonces ya tampoco podemos orar debidamente! En este contexto la palabra del Señor de Juan 4:23 adquiere un significado completamente nuevo: *"Pero la hora viene, y ahora es, cuando los verdaderos adoradores adorarán al Padre en espíritu y en verdad, porque también el Padre tales adoradores busca que lo adoren."* Qué afirmación tan clara: El Padre quiere "adoradores" que Lo adoren "en espíritu y en verdad". Estas son personas que no se encuentran en oposición al tercer mandamiento.

Cuando Dios se convierte en enemigo y otra vez en amigo

Al profeta Jeremías, quien con intercesión suplicante oraba por Israel, Dios le tenía que decir algo que, seguramente, lo deprimió mucho: *"Tú, pues, no ores por este pueblo; no eleves por ellos clamor ni oración, ni me ruegues, porque no te oiré"* (Jer. 7:16). ¿Por qué debía el Señor decir palabras tan duras? ¡Porque la mayoría, en el pueblo de Israel, había pecado contra el tercer mandamiento y había entristecido al Espíritu Santo! Porque ya en el Antiguo Testamento existía el peligro de entristecer al Espíritu Santo, ya que dice, en Isaías 63:10, acerca de Israel: *"Mas ellos fueron rebeldes e hicieron enojar su santo espíritu; por lo cual se les volvió enemigo y él mismo peleó contra ellos."* Sabemos, por las Escrituras, que el Señor en tiempos así no contestaba, aun cuando Israel oraba y clamaba a El. Así leemos, por ejemplo, en Jeremías 11:14: *"Tú, pues, no ores por este pueblo: no levantes por ellos clamor ni oración, porque yo no los escucharé el día en que por su aflicción clamen a mí."* ¡Cuánto tiempo duraba esta dureza de hierro del Señor hacia Su amado pueblo? Solamente hasta que el pueblo hubiera arreglado el asunto por medio del cual había entristecido a Dios. Moisés mismo prometió que Dios se mostraría misericordioso nuevamente en el momento en el cual ellos, de todo corazón, se convirtieran de sus pecados, por medio de los cuales habían pecado contra el Señor, entristeciendo así al Espíritu Santo. *"Porque Jehová volverá a gozarse sobre ti para bien, de la manera que se gozó sobre tus padres, cuando obedezcas a la voz de Jehová, tu Dios, y guardes sus mandamientos y sus estatutos escritos en este libro de la Ley; cuando te conviertas a Jehová, tu Dios, con todo tu corazón y con toda tu alma"* (Dt. 30:9b-10). Pero donde esto no sucedía, el mal permanecía sobre el pueblo.

¿Podría ser que esta fuera una respuesta a tu pregunta de porqué el Señor no escucha más tus oraciones y tú tienes tan poco gozo para orar? Quizás hayas pecado contra el tercer mandamiento, porque sin el Espíritu Santo has tratado de nombrar el nombre del

Señor, y El no obra más en ti porque tú le has entristecido. ¡Examina si eso es así! Pablo dijo muy claramente: *"¡Nadie puede decir 'Señor Jesús' a no ser en el Espíritu Santo!"* Eso significa: solamente puedes orar realmente cuando lo haces en el Espíritu Santo. De no ser así, vale para ti la palabra de los salmos, que ya hemos citado: *"¡Qué tienes tú que hablar de mis leyes y tomar mi pacto en tu boca?, pues tú aborreces la corrección y echas a tu espalda mis palabras."* Acerca del Rey Sedequías leemos: *"Pero no obedecieron ni él ni sus siervos ni el pueblo de la tierra a las palabras de Jehová, las cuales dijo por medio del profeta Jeremías. Envió el rey Sedequías a Jucal hijo de Selemías y al sacerdote Sofonías hijo de Maasías para que dijeran al profeta Jeremías: Ruega ahora por nosotros a Jehová, nuestro Dios"* (Jer. 37:2-3). ¡Contestó Dios a eso en forma positiva? No, sino que, más bien, leemos: *"Así ha dicho Jehová, Dios de Israel, que digáis al rey de Judá, que os envió a mí para que me consultarais: El ejército del faraón, que había salido en vuestro socorro, se ha vuelto a la tierra de Egipto. Por eso, los caldeos vendrán de nuevo, atacarán esta ciudad, la tomarán y le prenderán fuego"* (vs. 7-8).

¡Qué mensaje tan serio! También para nosotros, para ti y para mí. Créeme: Mientras no arregles aquello que hizo callar al Espíritu Santo en tu vida, te encuentras en pecado contra el tercer mandamiento. ¿Por qué? Porque si tú oras en ese estado, no lo haces en el Espíritu Santo. ¡Pero si estás dispuesto a darle la razón al Señor, entonces El se volverá a ti nuevamente, y tú podrás volver a orar en el Espíritu Santo!

El Cristiano y el Cuarto Mandamiento

"Acuérdate del sábado para santificarlo. Seis días trabajarás y harás toda tu obra, pero el séptimo día es de reposo para Jehová, tu Dios; no hagas en él obra alguna, tú, ni tu hijo, ni tu hija, ni tu siervo, ni tu criada, ni tu bestia, ni el extranjero que está dentro de tus puertas, porque en seis días hizo Jehová los cielos y la tierra, el mar, y todas las cosas que en ellos hay, y reposó en el séptimo día; por tanto, Jehová bendijo el sábado y lo santificó" (Exodo 20:8-11).

En el caso del cuarto mandamiento no debemos nunca perder de vista lo que el Señor Jesús dijo, con palabras claras e inequívocas, en cuanto a la interpretación de la esencia del sábado: *"También les dijo: El sábado fue hecho por causa del hombre, y no el hombre por causa del sábado"* (Mc. 2:27). Si comprendemos bien esta Palabra del Señor, entonces, también daremos el lugar correcto al sábado, es decir como un regalo del Señor a nosotros los seres humanos.

Como vemos en el cuarto mandamiento, el sábado cae el séptimo día. Este séptimo día, en la actualidad, es un feriado judío y corresponde a nuestro sábado. Por eso, tampoco tenemos problemas de festejar en Israel el día sábado, o sea el séptimo día, como día de reposo.

Esto nos lleva a la pregunta: ¿Por qué nosotros los cristianos, en general, guardamos el primer día de la semana, el domingo, como nuestro feriado y día de descanso, y no el séptimo día, el sábado? Como ya vimos en el texto del comienzo, Dios el Señor trabajó seis días en Su creación y el séptimo día descansó, como está escrito en Génesis 2:2-3: *"El séptimo día concluyó Dios la obra que hizo, y reposó el séptimo día de todo cuanto había hecho. Entonces bendijo Dios el séptimo día y lo santificó, porque en él reposó de toda la obra que había hecho en la creación."* Estos seis días de trabajo y luego el séptimo día, el día de descanso, son una imagen simbólica del antiguo pacto, en el cual la regla básica dice: Haz esto y aquello y vivirás.

La ley del antiguo pacto exigía de los seres humanos que, por esfuerzo y fuerzas propias, anduvieran por ciertos caminos, hicieran ciertas cosas, y cumplieran ciertas exigencias, y prometía por eso un premio, es decir llegar al descanso. De modo que uno siempre debía trabajar hacia un cierto descanso, vivir hacia ese descanso. Espiritualmente, y también exteriormente, sólo se llegaba a un cierto punto, a un polo de descanso, si uno había trabajado y se había esforzado en esa dirección. Y justamente eso sucedió en la creación, cuando Dios el Señor trabajó seis días

"En verdad vosotros guardaréis mis sábados, porque es una señal entre mí y vosotros por vuestras generaciones, para que sepáis que yo soy Jehová que os santifico. Así que guardaréis el sábado, porque santo es para vosotros"

para, luego, después del trabajo completado, descansar el séptimo día.

Pero, entonces, vino Jesucristo y, con El, el nuevo pacto. Aquí el principio era justamente al revés. Jesucristo no decía: Haz esto y haz aquello, y te doy la vida, o: Esfuérzate en forma especial, y yo te daré paz, sino : ¡Vive y alcanza la paz, porque Yo ya he preparado todo para ti! Esta verdad ya resplandece en una manera maravillosa en las conocidas palabras de nuestro Señor: *"Venid a mí todos los que estáis trabajados y cargados, y yo os haré descansar"* (Mt. 11:28). Jesús aquí no dijo: Esfuércense todos correctamente, los que están cansados y cargados, así serán renovados. No, sino: *"Venid a mí todos los que estáis trabajados y cargados, y yo os haré descansar."* En otras palabras: Yo lo hago. Yo lo cumplo por ustedes. Yo cargo con todo el esfuerzo. Ustedes solamente deben hacer una cosa: ¡Deben venir a Mí! Para decirlo otra vez con otras palabras: En el Nuevo Pacto podemos vivir desde la paz – ¡Jesucristo realizó la obra redentora en la cruz! y no necesitamos, como en el Antiguo Pacto, vivir hacia la paz. Este increíble hecho es especialmente enfatizado y confirmado por medio de un acontecimiento, la resurrección de nuestro Señor.

¿Cuándo tuvo lugar la resurrección, es decir, cuando se levantó nuestro Señor de los muertos?

Según lo que se sabe, el primer día de la semana, o sea un domingo. Leemos acerca de esto: *"El primer día de la semana, María Magdalena fue de mañana, siendo aún oscuro, al sepulcro, y vio qui-*

"Seis días trabajarás y harás toda tu obra, pero el séptimo día es de reposo para Jehová, tu Dios; no hagas en él obra alguna"

*tada la piedra del sepulcro... Cuando llegó la no-
che de aquel mismo día, el primero de la semana,
estando las puertas cerradas en el lugar donde los
discípulos estaban reunidos por miedo de los judíos,
llegó Jesús y, puesto en medio, les dijo: ¡Paz a vosotros!"* (Jn. 20:1,19). De modo que nuestro Señor
Jesús pasó todo el feriado judío, el sábado, en la
tumba, es decir en el reino de los muertos. Y cuando, luego, El resucitó el primer día de la semana,
el domingo, el sábado, en cierto sentido, se quedó
en la tumba, y el domingo, el primer día de la semana, se convirtió en el nuevo feriado. Que los primeros cristianos pronto comenzaron a festejar este
día como su feriado, como el día de sus cultos, lo
demuestra el hecho que ellos en ese día partían el
pan, o sea, tomaban la comunión, escuchaban la
prédica y juntaban la ofrenda semanal. En los Hechos de los Apóstoles leemos: *"El primer día de la
semana, reunidos los discípulos para partir el pan,
Pablo que tenía que salir al día siguiente, les ense-
ñaba, y alargó el discurso hasta la medianoche...
Después de haber subido, partió el pan, lo comió y
siguió hablando hasta el alba; y luego se fue"* (Hch.
20:7,11). A los corintios escribió Pablo: *"Cada primer día de la semana, cada uno de vosotros ponga
aparte algo, según haya prosperado, guardándolo,
para que cuando yo llegue no se recojan entonces
ofrendas"* (1 Co. 16:2).

Por eso nosotros, los cristianos, comenzamos nuestra semana no con un día de trabajo, sino con un día
de reposo y, por eso, vivimos desde la paz y no hacia
la paz. De este modo, con la resurrección de Jesús el
primer día de la semana, el domingo – a todos los que
creen en Jesucristo, les fue mostrado que podemos vivir sobre la base de un hecho consumado porque Jesu-

cristo, con Su muerte, cumplió todas las exigencias de la ley. Esa es la esencia del Nuevo Pacto, el cual testifica que Jesús lo cumplió todo por nosotros y que nosotros no tenemos más nada que agregar, ni podemos hacerlo.

¿Por qué el día de reposo es tan importante, que Dios hasta puso uno de los sagrados diez mandamientos para protegerlo?

Para que podamos encontrar la respuesta correcta, primeramente debemos enfatizar el maravilloso significado del día de reposo: ¡No es otra cosa que la participación en el descanso de Dios! Cuando al séptimo día Dios descansó de las obras de Su creación, santificó y bendijo todo séptimo día: *"El séptimo día concluyó Dios la obra que hizo, y reposó el séptimo día de todo cuanto había hecho. Entonces bendijo Dios el séptimo día y lo santificó, porque en él reposó de toda la obra que había hecho en la creación"* (Gn. 2:2-3).

Pero, Dios no quería santificar este séptimo día tan simplemente porque El hubiera descansado en ese día. No, Dios quiso que también Su pueblo pudiera participar de este Su día de descanso. Y eso es, en la forma más directa, la razón por la cual El dio el cuarto mandamiento. Presta atención nuevamente a las palabras con las cuales dio este mandamiento: *"Acuérdate del sábado para santificarlo. Seis días trabajarás y harás toda tu obra, pero el séptimo día es de reposo para Jehová, tu Dios; no hagas en él obra alguna... porque en seis días hizo Jehová los cielos y la tierra, el mar, y todas las cosas que en ellos hay, y reposó en el séptimo día; por tanto, Jehová bendijo el sábado y lo santificó"* (Ex. 20:8-11). Es como si Dios quisiera decir con esto: Porque Yo he descansado después de completar el trabajo, también ustedes ahora deben descansar en ese día y enfatizarlo para Mí como un día especial de entre la serie de los demás días.

Qué idea maravillosa: Porque Dios descansó, también yo debo descansar; porque Dios, en un día específico, alcanzó el descanso, también yo ahora puedo participar de Su descanso. En cuanto a eso, leemos en Hebreos 4:10: *"porque el que ha entrado en su reposo, también ha reposado de sus obras, como Dios de las suyas."* En otras palabras: Quien ha permitido que Dios lo guíe a Su descanso, o sea, se ha dejado llevar a respetar, regularmente, el día de descanso, porque Dios lo respetó, ése realmente entró en el descanso. Si vemos el día domingo en esa manera y también lo respetamos así, entonces, realmente alcanzaremos el descanso interior y exterior.

Quizás necesitemos este descanso más de lo que nos damos cuenta. Me gustaría explicar esto brevemente con una imagen neo-testamentaria: Jesús, una vez, envió a Sus doce discípulos para que, en Su nombre, hicieran grandes obras: *"Después llamó a los doce y comenzó a enviarlos de dos en dos, y les dio autoridad sobre los espíritus impuros"* (Mc. 6:7). Ese era un cometido importante que los doce llevaron a cabo con mucho poder: *"Y, saliendo, predicaban que los hombres se arrepintieran. Y echaban fuera muchos demonios, ungían con aceite a muchos enfermos y los sanaban"* (vs. 12-13). No es de asombrarse que, luego, regresaran a Jesús y le informaran, con mucho gozo, lo que habían podido hacer en Su nombre: *"Entonces los apóstoles se reunieron con Jesús y le contaron todo lo que habían hecho y lo que habían enseñado"* (v. 30). ¿Cómo reaccionó el Señor a esto?

"Porque en seis días hizo Jehová los cielos y la tierra, el mar, y todas las cosas que en ellos hay, y reposó en el séptimo día".

- *"El les dijo: Venid vosotros aparte, a un lugar desierto, y descansad un poco"* (v. 31).

Otras traducciones dicen:

- *"Y El les dijo: Vayan ustedes solos a un lugar solitario y descansen un poco".*

- *"Y El les dijo: Vayamos aparte a un lugar desértico y descansan un poco".*

Esto deja una cosa maravillosamente clara: El Señor Jesús no envió a los discípulos, a algún lugar, para que ellos allí descansaran un poquito, no, sino que El mismo los llevó a Su descanso. En cierto sentido, El los tomó de la mano y los guió a un lugar tranquilo, el cual El había escogido de antemano: *"Y se fueron solos en una barca a un lugar desierto"* (v. 32). En esta barca estaban solamente los discípulos y Jesús. El los llevó a ese lugar solitario, para descansar junto con ellos.

Esa es una imagen del día de descanso, del primer día de la semana que el Señor instituyó para los Suyos. Cada domingo, en cierto sentido, es un lugar solitario, o como lo traducen otros una región despoblada, que el Señor mismo ha escogido para que tú puedas estar allí con El y puedas descansar. Entiéndelo bien: Es Su descanso al cual te quiere llevar. El escogió este lugar, y lo hizo del mismo modo como ya de antemano había escogido el lugar donde deseaba descansar con los discípulos.

Los discípulos debían hacer solamente una cosa para poder llegar al descanso: soltar todo lo que los ocupaba en aquel momento, aun cuando fuera algo muy importante. Recordemos lo importante que era aquello que ellos tenían para informar al Señor Jesús. Pero El ni siquiera les hizo caso, sino que tenía una sola preocupación: El quería entrar al descanso juntamente con ellos. Y eso, que seguramente no es cierto que no le habría interesado lo que los discípulos tendrían para contarle porque, seguramente, El se alegraba de que ellos habían realizado Su cometido. Pero, en este momento, era mucho más importante el descanso que El había planeado para Sus discípulos y que El quería experimentar juntamente con ellos. Eso nos da una imagen del domingo, del día de descanso que Dios nos ha ordenado a todos nosotros. En este caso, no se trata de todo lo importante que quizás tengamos que hacer todavía para El, sino sencillamente del hecho que ahora ha llegado el momento del descanso. No olvidemos, en todo esto: Dios mismo se dio ese descanso cuando El descansó el día séptimo después de seis días de trabajo. Después de cada semana de trabajo, ahora, también nos quiere guiar a nosotros a ese descanso.

En Hebreos 6:10 está escrito: *"Porque Dios no es injusto para olvidar vuestra obra y el trabajo de amor que habéis mostrado hacia su nombre..."* ¿Qué consecuencias tiene que Dios no olvide el esfuerzo y trabajo para El, sino que lo recuerde? No solamente que nos tiene preparado un premio en el cielo sino que El, en Su maravillosa sabiduría y fidelidad, nos ha preparado un día de descanso en intervalos determinados. Este día de descanso se lo dio El mismo primero y, ahora, El quiere darlo también a todos Sus hijos. De este modo, comprendemos mucho mejor el cuarto mandamiento donde El exige, inequívocamente y con insistencia: *"Acuérdate del sábado para santificarlo."* Su deseo de llevarnos, una y otra vez, a este descanso es muy grande, y más porque a unos cuantos de nosotros se aplica la palabra antiguo-testamentaria: *"En la multitud de tus caminos te cansaste, pero no dijiste: No hay remedio..."* (Is. 57:10).

¿No deberíamos comenzar total y nuevamente a santificar nuestro día de descanso de esta manera aceptando, sencillamente, que Dios no quiere otra cosa que hacernos entrar en Su descanso? Si hacemos eso, entonces también confirmamos, de nuestra parte, que este día de descanso que el Señor nos da, vale como una señal especial entre Dios y nosotros, Sus hijos.

"Acuérdate del sábado para santificarlo. Seis días trabajarás y harás toda tu obra, pero el séptimo día es de reposo para Jehová, tu Dios; no hagas en él obra alguna, tú, ni tu hijo, ni tu hija, ni tu siervo, ni tu criada, ni tu bestia, ni el extranjero que está dentro de tus puertas, porque en seis días hizo Jehová los cielos y la tierra, el mar, y todas las cosas que en ellos hay, y reposó en el séptimo día; por tanto, Jehová bendijo el sábado y lo santificó" (Exodo 20:8-11).

Desde el principio, el día de reposo fue una señal entre Dios y Su pueblo. El hizo proclamar a los israelitas, por medio de Moisés: *"En verdad vosotros guardaréis mis sábados, porque es una señal entre mí y vosotros por vuestras generaciones, para que sepáis que yo soy Jehová que os santifico. Así que guardaréis el sábado, porque santo es para vosotros"* (Ex. 31:13-14). Muchos años después el Señor vuelve a confirmar esta verdad por intermedio del Profeta Ezequiel con las siguientes palabras: *"Y les di también mis sábados, para que fueran por señal entre yo y ellos, para que supieran que yo soy Jehová que los santifico"* (Ez. 20:12). ¡Qué asunto tan importante el hecho de que el día de reposo debía ser una señal entre el Señor e Israel! Sábado significa dejar, interrumpir. Dios en seis días creó el mundo entero y descansó al séptimo día. El dejó, El descansó. En esto se encuentra el fundamento de porqué El bendijo este día y porqué, más adelante, lo puso como señal entre El y Su pueblo.

Porqué nosotros, como cristianos, santificamos el domingo en vez del sábado judío, lo expusimos anteriormente. Por lo tanto, solamente quisiera recordar una cosa: Que Jesucristo resucitó el primer día de la semana y que, por eso, ya la primera iglesia santificaba este día. ¿No nos anima esto a santificar también este día y a respetarlo?

¿No es verdad que muchas veces los domingos nos hemos permitido cosas que sabíamos, muy bien, que no estaban bien delante de Dios?

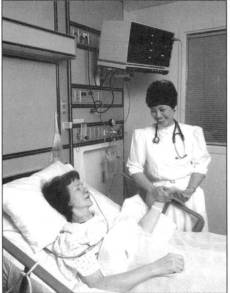

Santificar el día de reposo significa que, verdaderamente, el domingo nosotros olvidemos todas las tareas y obligaciones normales de la vida cotidiana y lleguemos a reposar espiritualmente. Una excepción la constituyen, naturalmente, los grupos de profesiones como, por ejemplo, médicos, enfermeras, policías, bomberos, etc., quienes deben trabajar los domingos.

¿Qué significa respetar y santificar el día de reposo, o en su defecto el primer día de la semana (domingo)?

¿Será que esto solamente quiere decir que en este día no debemos trabajar, o sea que no debemos realizar las tareas normales de todos los días? Seguramente significa prestar atención a esto, porque cuando Dios dice: *"El séptimo día es de reposo para Jehová, tu Dios; no hagas en él obra alguna"* (Ex. 20:10), entonces eso significa, claramente, que ese día debemos olvidarnos de todas las tareas y obligaciones cotidianas. Y aquí, quizás, unos cuantos de nosotros debemos dejarnos exhortar para comenzar de nuevo porque, seamos sinceros: ¿No es verdad

que muchas veces los domingos nos hemos permitido cosas que sabíamos, muy bien, que no estaban bien delante de Dios? Naturalmente, existen las excepciones. Pensemos tan solamente en los médicos y en las enfermeras, o en los muchos empleados en el sector de prestación de servicios (trenes, ómnibuses, bomberos, policías, etc.). O en los agricultores (ordeñar las vacas, dar ración a los animales, realizar las limpiezas necesarias), y también las amas de casa, que deben cuidar a sus familias. Lo que es válido, en términos generales, es: Quien tiene que trabajar durante el verdadero día de reposo y, en vez de eso, tiene libre entre semana, que esa persona santifique para el Señor ese día libre, aun cuando eso sea más difícil de organizar (vea también Col. 2:16-17).

Pero ahora nos volvemos a preguntar: Santificar el día de reposo, ¿querrá decir solamente que en ese día dejemos de lado todas las actividades normales de la semana? ¡Seguramente que no! Pensemos nuevamente en lo que es el día de reposo: Nada menos que el día que el Señor usó como día de descanso y en el cual, también, nos quiere hacer entrar una y otra vez a nosotros. El hecho es que El tiene una intención muy específica con ese día de reposo. El no nos invita solamente a desconectarnos, a descansar, lo que naturalmente también juega un rol muy importante. Más que nada, Su propósito con este día de reposo es que podamos tranquilizarnos en nuestro interior y alcanzar la paz. Dicho con otras palabras: que reposemos espiritualmente. Esto me hace pensar en el conocido versículo bíblico: *"Porque así dijo Jehová, el Señor, el Santo de Israel: En la conversión y en el reposo seréis salvos; en la quietud y en confianza estará vuestra fortaleza"* (Is. 30:15).

Cada domingo, o sea cada día de reposo instituido por Dios, es un momento otorgado por el Señor
para darnos la posibilidad de volver atrás, de tranquilizarnos y de recibir ayuda. ¡Cuántos de nosotros
gemimos y nos quejamos bajo la carga de la vida
cotidiana! Pero Dios, quien en Su omnisciencia y sabiduría ya sabía esto de antemano, nos ordenó un
día de reposo en el cual nosotros podemos ordenar
todo otra vez.

Pero muchos de nosotros ignoramos este hecho al
no hacer una diferencia entre el domingo y los demás días de la semana. De esta manera, sin embargo, se peca contra el cuarto mandamiento: *"Acuérdate del día de reposo para santificarlo."* Si despre-
cias esto, te destruyes espiritualmente. ¿Por qué no
aceptas que puedes ser ayudado por medio del estar quieto, es decir que el Señor te ha dado Su día
de reposo para que tú, una y otra vez, puedas re-
novarte espiritualmente.

Yo creo que muchos hijos de Dios terminan en
el psiquiatra por no respetar los tiempos de descanso dados por Dios. Supongo que cada uno de
nosotros tiene claro que vivimos en un tiempo que
produce una cantidad extremada de estrés. ¡Un co-
merciante, por ejemplo, en lo posible ya debería
haber entregado ayer lo que le fue encargado hoy!
Y así parece que nos sucede a la mayoría de nosotros.

Pero, como hemos dicho: Dios había previsto esto y nos dio a nosotros, seres humanos estresados,
un maravilloso día de reposo, el primer día de la
semana. Si no usamos este día en el sentido en que
nos fue dado por el Señor, entonces pecamos contra
el cuarto mandamiento: Acuérdate del sábado para
santificarlo y nos destruimos espiritualmente.

¿Qué debemos dejar y qué podemos hacer el día domingo?

Para realmente celebrar el día de reposo que nos fue dado, en la forma correcta, debemos vivir de acuerdo a ese día y hacer las cosas correctas. Pero no tengas miedo, no me atreveré a darte órdenes en cuanto a lo que debes hacer o no el domingo. En lugar de eso, quisiera mencionar, tan solamente, un punto de gran importancia que está escrito en la carta a los Hebreos: *"Y considerémonos unos a otros para estimularnos al amor y a las buenas obras, no dejando de congregarnos, como algunos tienen por costumbre, sino exhortándonos; y tanto más, cuanto veis que aquel día se acerca"* (He. 10:24-25). Todo domingo en que hayamos dejado de ir al culto es un día de reposo desperdiciado. Porque el día de reposo, en primer lugar, fue dado por Dios para que Sus hijos puedan estar quietos espiritualmente y, para eso, es imprescindible que vayamos a una iglesia que sea fiel a la Biblia y nos reunamos bajo la Palabra de Dios. Eso ya era así en el antiguo Israel, ya que Dios ordenó a Su pueblo, por medio de Moisés: *"Las fiestas solemnes de Jehová, las cuales proclamaréis como santas convocaciones, serán estas: Seis días se trabajará, pero el séptimo día (la primera fiesta) será de descanso, (una) santa convocación; ningún trabajo haréis. Es el día de descanso dedicado a Jehová dondequiera que habitéis"* (Lv. 23:2-3).

También para Jesucristo estaba sobreentendido y era una sagrada costumbre ir a la sinagoga el día Sábado: *"Vino a Nazaret, donde se había criado; y el sábado entró en la sinagoga, conforme a su costumbre, y se levantó a leer"* (Lc. 4:16). Así, también, era totalmente normal para Pablo y sus acompañantes que, también durante sus largos viajes, buscaran una sinagoga el día de reposo: *"Ellos, pasando de Perge, llegaron a Antioquía de Pisidia; y entraron en la sinagoga un sábado y se sentaron"* (He. 13:14). ¿Será que en este sentido ya nos hemos perdido de mucho? Cuántos han dejado alguna vez el culto de lado, sencillamente por ser demasiado haraganes para levantarse por la mañana. El libro de Proverbios, sin embargo, dice sobre el no querer levantarse: *"Perezoso, ¿hasta cuándo has de dormir? ¿Cuándo te levantarás del sueño? Un poco de sueño, dormitar otro poco, y otro poco descansar mano sobre mano: así te llegará la miseria como un vagabundo, la pobreza como un hombre armado"* (Prov. 6:9-11). Aunque aquí habla sobre la pobreza material, pienso en la pobreza espiritual que caerá, sin perdón, sobre todo aquél que, por haragán, deja lo más importante del día de reposo, es decir, el culto y así quita a Dios el honor que Le corresponde. ¿Tendrás tú que dejarte exhortar hoy en este punto? Si es así, entonces no te resistas, sino acepta la exhortación. Toma en tu corazón la decisión de no perderte nunca más un culto dominical (a no ser que entre en juego un poder superior). Si deseas y haces esto, entonces el día de reposo se convertirá para ti en aquello que, en realidad, siempre debe ser: un día de gozo. En Isaías 58:13-14 el Señor dice al respecto: *"Si retraes del sábado tu pie, de hacer tu voluntad en mi día santo, y lo llamas delicia, santo, glorioso de Jehová, y lo veneras, no andando en tus propios caminos ni buscando tu voluntad ni hablando tus propias palabras, entonces te deleitarás en Jehová. Yo te haré subir sobre las alturas de la tierra y te daré a comer la heredad de tu padre Jacob. La boca de Jehová lo ha hablado"*.

¿No testifican estas palabras, en forma maravillosa, que el verdadero gozo llegará cuando nosotros co-

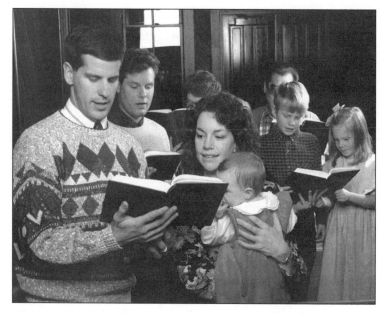

Todo domingo en que hayamos dejado de ir al culto, es un día de reposo perdido.

mencemos a honrar, de todo corazón, el día del Señor? Quisiera que creas que el día de reposo ordenado por el Señor se quiere convertir para ti en un día de gozo, si tú lo pasas en la manera correcta, parte de lo cual es, como ya lo expusimos, sin lugar a dudas, la reunión de los creyentes. En Salmos 92:1-4 también se habla claramente sobre esto: *"Salmo. Cántico para el sábado. Bueno es alabarte, Jehová, y cantar salmos a tu nombre, oh Altísimo; anunciar por la mañana tu misericordia y tu fidelidad cada noche, con el decacordio y el salterio, en tono suave, con el arpa. Por cuanto me has alegrado, Jehová, con tus obras; en las obras de tus manos me gozo."* Esto es algo que cada uno también debe y puede hacer en su casa: *"Por cuanto me has alegrado, Jehová, con tus obras."* Pero, a mi manera de ver, también es una indicación de la iglesia, de la reunión de los creyentes, donde se cantan cánticos de alabanza al Señor. Por eso, proponte nuevamente hacer, en cada día de reposo del Señor, lo que está escrito en Salmos 26:12: *"Mi pie ha estado en rectitud; en las congregaciones bendeciré a Jehová."*

La obediencia del cuarto mandamiento, hace falta

Finalmente, me gustaría señalar un hecho importante del porqué debemos someternos, de todo corazón, al cuarto mandamiento: *"Acuérdate del día de reposo..."*. Porque cada vez que conmemoramos el día de gozo instituido por Dios, que descansamos de los penosos trabajos de la semana transcurrida, indicamos proféticamente el eterno descanso sabático que nos espera en el cielo. Cada día de reposo, cada domingo que experimentamos los cristianos, testifica, en forma maravillosa, acerca de aquello que viene: de la paz eterna. Ya, Isaías, dice de los justos que dejan este mundo: *"Descansarán en sus lechos todos los que andan delante de Dios"* (Is. 57:2). Pablo sigue desarrollando este pensamiento cuando dice: *"Es justo delante de Dios pagar con tribulación a los que os atribulan, mientras que a vosotros, los que sois atribulados, daros reposo junto con nosotros, cuando se manifieste el Señor Jesús desde el cielo con los ángeles de su poder"* (2 Ts. 1:6-7). Y en la carta a los Hebreos dice: *"Por tanto, queda un reposo para el pueblo de Dios"* (He. 4:9). Ese es el eterno reposo indicado por cada uno de los días de reposo experimentados en el Señor.

En Apocalipsis 14:13 está escrito: *"Y oí una voz que me decía desde el cielo: Escribe: Bienaventurados de aquí en adelante los muertos que mueren en el Señor. Sí, dice el Espíritu, descansarán de sus trabajos, porque sus obras con ellos siguen."* Muchos de los nuestros ya han alcanzado este estado maravilloso. También todos nosotros, los que creemos en Jesucristo, algún día llegaremos allá y descansaremos de toda nuestra labor. ¡Eso sí será gloria, cuando libres de dolor veamos Su rostro! El día terrenal de reposo, en cierto sentido, es un adelanto de lo que será el descanso sabático eterno que Dios tiene preparado para nosotros. Sabiendo todo esto, ¿no deberíamos santificarlo mucho más conscientemente todavía?

El Cristiano

לא תרצח
לא תנאף
לא תגנב
לא תענה
לא תחמד

אנכי ד
לא יהיה
לא תשא
זכור את
כבד את

y el Quinto
Mandamiento

"Honra a tu padre y a tu madre, para que tus días se alarguen en la tierra que Jehová tu Dios te da" (Exodo 20:12)

Entre nuestros lectores seguramente se encuentran hermanos en la fe, pienso especialmente en los mayores de entre nosotros, que ya no tienen padres. Y puedo imaginarme que estos ahora estén diciendo: El quinto mandamiento ya no me concierne a mí, porque ya no tengo padres.

Si bien esta argumentación es convincente, pienso que el quinto mandamiento: *"Honra a tu padre y a tu madre"*, tiene algo que decirnos a cada uno de nosotros. Por eso, estaría muy complacido si todos, aun los que ya no tienen padres, leyeran estas exposiciones.

Lo muy especial del quinto mandamiento

En primera instancia, quisiéramos ocuparnos en forma muy general del quinto mandamiento: *"Honra a tu padre y a tu madre..."*. Lo especial del mismo es lo que Pablo enseña en la carta a los efesios: *"Hijos, obedeced en el Señor a vuestros padres, porque esto es justo. Honra a tu padre y a tu madre, que es el primer mandamiento con promesa; para que te vaya bien, y seas de larga vida sobre la tierra"* (Ef. 6:1-3). La verdad es que esta promesa maravillosa les es dada a aquellos que cumplen el quinto mandamiento, o sea a los que verdaderamente honran a su padre y a su madre. Ellos pueden esperar ser especialmente bendecidos por el Señor en sus propias vidas.

Esta maravillosa verdad ya resalta en nuestro versículo lema: *"Honra a tu padre y a tu madre, para que tus días se alarguen en la tierra que Jehová tu Dios te da"*. Pero también en Deuteronomio 5:16, donde se repiten los diez mandamientos, la promesa del quinto mandamiento nos es presentada en forma muy elocuente: *"Honra a tu padre y a tu madre, como Jehová tu Dios te ha mandado, para que sean prolongados tus días, y para que te vaya bien sobre la tierra que Jehová tu Dios te da."* Una maravillosa promesa, ¿verdad? Pero uno podría preguntarse porqué solamente al quinto mandamiento le sigue una promesa y, aparte de eso, una de una vida larga y bendecida. Para esta pregunta hay una respuesta convincente, aun cuando esta sea un tanto humana: El cumplimiento del quinto mandamiento está unido a la promesa de una larga vida porque está dirigida, en primer lugar, a niños que aún tienen su vida por delante.

Visto desde este punto de vista, el quinto mandamiento suena muy convincente: *"Honra a tu padre y a tu madre, para que tus días se alarguen en la tierra que Jehová tu Dios te da"* (Exodo 20:12). Los hijos de los israelitas, entonces, podían esperar una vida bendecida si ellos, de todo corazón, cumplían el quinto mandamiento. A mi manera de ver, sin embargo, esto es vigente aun hoy, ya que las Escrituras no pueden ser quebrantadas. Un hijo creyente, de padres cristianos, que se propone honrar a sus padres de todo cora-

Un hijo creyente, de padres cristianos, que se propone honrar a sus padres de todo corazón mientras ellos vivan, puede esperar con toda confianza que, como consecuencia, también su vida sea ricamente bendecida.

zón mientras ellos vivan, puede esperar con toda confianza que, como consecuencia, también su vida sea ricamente bendecida.

¿Por qué eso se cree tan poco en nuestros días? Porque, generalmente, tendemos a espiritualizar todo lo que en el Antiguo Testamento tiene que ver con la iglesia neo-testamentaria. Naturalmente, es cierto que en todos los mandamientos antiguo-testamentarios también existe una verdad espiritual más profunda, – más tarde volveremos a ello –, pero nunca debemos acobardarnos de leer y asimilar una declaración del Antiguo Testamento tal cual está escrita. Por eso, sencillamente creo en el cumplimiento de la promesa que está añadida al quinto mandamiento. Entonces, quien trata de honrar de todo corazón a sus padres, mientras estos vivan, puede también él/ella mismo/a esperar una vida bendecida por el Señor. No obstante, la forma que tomará esta bendición, está en las manos de Dios. Pero, con toda seguridad, también hoy podemos dar fe a esta promesa.

La profunda seriedad del quinto mandamiento

Quedé verdaderamente aterrado cuando busqué, en el Antiguo Testamento, los pasajes que explican la profunda seriedad del quinto mandamiento. En el antiguo pacto, quien no honraba a su padre y a su madre traía las más terribles maldiciones que uno pudiera imaginarse sobre sí. Es más, el ignorar o desechar el quinto mandamiento traía un juicio tan terrible sobre la persona que lo transgredía, que casi no tengo el valor de mencionar estos pasajes del Antiguo Testamento. Pero aun así lo haré, aunque no antes de haber enfatizado claramente lo siguiente:

Ni siquiera nos imaginamos la enorme grandeza de la gracia que hemos recibido en Jesucristo, a través del poder expiatorio de Su sangre preciosa. Si recordamos cuan grandes eran las consecuencias del pecar contra el quinto mandamiento, y reflexionamos en que estas consecuencias para nosotros están quitadas, porque el mismo Jesús las llevó en Su cuerpo sobre la cruz, entonces solamente podemos adorar en profundo agradecimiento.

Ni siquiera nos imaginamos la enorme grandeza de la gracia que hemos recibido en Jesucristo, a través del poder expiatorio de la sangre preciosa del cordero de Dios.

¿Quién de nosotros nunca, así sea de una manera muy pequeña, ha transgredido el quinto mandamiento? Aun cuando eso haya pasado hace muchos años atrás y los padres quizás ya hayan muerto hace tiempo: ¿Quién no les ha causado deshonra a sus padres alguna vez, mintiéndoles o despreciándolos en alguna manera? Naturalmente que estos pecados de antaño, si los hemos confesado delante de Dios como tales, ya están perdonados y olvidados y, por eso, tampoco los queremos volver a sacar. Pero pregúntate ahora: ¿Por qué te fue perdonado este pecado? Porque tú, hijo de Dios, has reclamado para eso la sangre del Cordero.

Y ahora piensa: En aquellos tiempos en el antiguo Israel, cuando aun no había ninguna sangre del Cordero de Dios que fuera lo suficientemente poderosa para quitar los pecados, el transgredir el quinto mandamiento era duramente castigado. Así dice, por ejemplo, en Proverbios 30:17, sobre alguien que se burlaba de su padre y no quería obedecer a su madre: *"El ojo que escarnece a su padre, y menosprecia la enseñanza de la madre, los cuervos de la cañada lo saquen, y lo devoren los hijos del águila."* O también, ¿qué sucedió con aquel que maldijo a sus padres? Leemos en Proverbios 20:20: *"Al que maldice a su padre o a su madre, se le apagará su lámpara en oscuridad tenebrosa."* ¿Y cómo ve Dios a alguien que levanta su mano contra sus padres para pegarles? Sobre eso, dice en Proverbios 19:26: *"El que roba a su padre y ahuyenta a su madre, es hijo que causa vergüenza y acarrea oprobio."* ¿No son éstas palabras que nos tocan fuertemente y nos deberían llenar de espanto?

Naturalmente, también en el antiguo pacto existía el perdón de los pecados, recordemos tan solamente los salmos. Pero todo era muy complicado y difícil. Cuando uno había cometido un pecado grave como,

por ejemplo, adulterio o asesinato, o cuando había ensuciado la santidad de Dios o transgredido el quinto
mandamiento, era fuertemente castigado antes de saber lo que ocurría, porque la ley era inexorable y dura. Por eso, me parece que no exagero cuando digo:
Probablemente todos nosotros hubiéramos merecido
castigos de este tipo, porque ninguno de nosotros puede decir: Nunca he transgredido el quinto mandamiento; nunca he agraviado a mis padres.

Pero, gracias sean dadas a Dios por la venida de
Jesucristo, quien también desactivó la maldición de
este pecado, al dejarse ejecutar voluntariamente en
la cruz por el mismo. El, quien nunca causó agravio a Su Padre.

Espero que todos hayamos reconocido la seriedad
del pecado contra el quinto mandamiento, y que todos
tengamos claro que el peso de este pecado no ha cambiado. Eso significa, muy prácticamente, que alguien
que, en alguna forma, ha pecado contra el quinto
mandamiento y que, con respecto a eso, no se ha do-
blegado todavía, vive una vida peligrosa ante el Señor. Porque Dios ve todavía este pecado con tanto peso como en aquel entonces en el antiguo Israel. Aunque ya no necesitas morir por él, como en aquel
tiempo, si estás dispuesto a salir a la luz con ello y
confesarlo a Jesús.

¿Qué significa el quinto mandamiento para los hijos que aún tienen padres y que, en parte, todavía viven con ellos?

En 2 Timoteo 3:1-2 leemos acerca del ser humano
de los últimos tiempos: *"También debes saber esto:
que en los postreros días vendrán tiempos peligrosos.*

Porque habrá hombres amadores de sí mismos, avaros, vanagloriosos, soberbios, blasfemos, desobedientes a los padres, ingratos, impíos." El hecho de que, justamente, en los últimos tiempos, el quinto mandamiento – *"Honra a tu padre y a tu madre..."* – sea menospreciado en gran manera, lo podemos ver con demasiada frecuencia en la actualidad, lamentablemente. La desobediencia a los padres, el desprecio del propio padre o madre está tomando formas terribles. Ya sea en las escuelas, en las universidades, en los lugares de aprendizaje y de trabajo, en los muchos y diferentes clubes, en todas partes el quinto mandamiento es transgredido en forma alarmante.

La pregunta simplemente es: ¿Cómo te enfrentas tú, joven cristiano o cristiana, a todo esto? ¿Cómo reaccionas cuando un colega te dice, por ejemplo: Tu viejo, ¿es tan tarado como el mío? ¿O qué contestas cuando alguien te dice: Mi vieja por suerte todavía me lava los trapos? ¿O cuando aun el profesor, o la profesora, te dicen cosas de las que tú bien sabes que, en el fondo, son una ofensa para tus padres?

Recientemente un maestro de nuestra aldea, durante la clase, hizo a los alumnos la pregunta: ¿Quién de ustedes alguna vez vio a sus padres desnudos? Aun cuando una pregunta de este tipo seguramente ocasione un silencio embarazoso, siempre habrá niños que se empiecen a reír, a hacer chistes o hasta comiencen a hablar. También de esta manera el quinto mandamiento, una vez más, es transgredido en la peor de las formas.

Pero la pregunta es cómo tú, joven creyente o chica creyente, te comportas en momentos como esos. Reflexiona: ¡Aun cuando solamente intervengas un poquito, te rías un poquito, ya has transgredido el quinto mandamiento!

Yo sé que el tiempo en que viven los jóvenes de hoy, es peor que los tiempos cuando nosotros íbamos a la escuela. También sé que nunca los valores y las normas han tenido un nivel tan bajo como ahora. Pero aun así, con toda sinceridad, debes hacerte la siguiente pregunta: ¿De qué lado me encuentro yo? ¿Me encuentro totalmente del lado de mi Señor, por saber que toda esa habladuría contra los padres no es más que transgresión contra el quinto mandamiento? ¿O me encuentro del otro lado?

¿Cuándo te encuentras del otro lado? No recién cuando participas activamente con los demás, sino ya desde cuando no tomas posición. Quizás no siempre te sea posible levantar, enseguida, tu voz en contra cuando en alguna parte se transgreda el quinto mandamiento. Quien pueda, sin embargo, debería hacerlo. Pero se trata de que, en primer lugar, uno, como hijo de Dios, se decida claramente en su interior en contra de tales anomalías. Del joven Daniel leemos: *"Y Daniel propuso en su corazón no contaminarse"* (Dn. 1:8). La pregunta dirigida a ti es: ¿Estás dispuesto a tomar posición en tu interior, en contra de ello, cuando se comienza a insultar con palabras denigrantes a los padres en general, entre los cuales también están los tuyos? Si es así, cumples con Colosenses 3:20: *"Hijos, obedeced a vuestros padres en todo, porque esto agrada al Señor."*

Ahora, sigamos un paso más adelante. Cuando tú adentro, es decir en tu casa, eres desobediente a tus padres, entonces afuera no puedes ser un verdadero testimonio para Jesús. Hoy en día, lastimosamente, es un hecho que algunos hijos de padres creyentes ya no se dejan decir nada por parte de su padre o de su madre. Al contrario: Si no les gusta algo que les ha dicho el padre o la madre, y los padres tratan nuevamente de aclarar el asunto en cuestión, los hijos, me refiero ahora a hijos ya más grandes, comienzan a vociferar y a usar palabras que son todo menos buenas. Mi joven amigo, mi joven herma-

La desobediencia a los padres, el desprecio del propio padre o madre está tomando formas terribles. Ya sea en las escuelas, en las universidades, en los lugares de aprendizaje y de trabajo, en los muchos y diferentes clubes, en todas partes el quinto mandamiento es transgredido en forma alarmante.

na en el Señor, si tú te comportas en esta manera en tu casa, entonces no te asombres si afuera, en la escuela o en tu lugar de aprendizaje, no eres un buen testimonio para Jesús. Por eso, yo te pido de todo corazón: Acepta lo que te dice el Señor en Proverbios 1:8: *"Oye, hijo mío (e hija mía), la instrucción de tu padre, y no desprecies la dirección de tu madre."* Si haces esto, honras a tu padre y a tu madre y serás capaz de ser fiel al quinto mandamiento, también en situaciones donde tú te encuentres totalmente solo.

Ejemplos bíblicos del cumplimiento del quinto mandamiento

En las Sagradas Escrituras se nos presenta el ejemplo de personas que, en forma maravillosa, cumplían el quinto mandamiento: *"Honra a tu padre y a tu madre"*. Recordemos a David: Cuando él tuvo que huir de Saúl no solamente pensó en sí mismo, sino también en sus padres, cumpliendo, de esta forma, el quinto mandamiento. Leemos en 1 Samuel 22:3: *"Y se fue David de allí a Mizpa de Moab, y dijo al rey de Moab: Yo te ruego que mi padre y mi madre estén con vosotros, hasta que sepa lo que Dios hará de mí."*

A continuación, quisiera hacerles recordar a Salomón, uno de los reyes más poderosos de Israel. Cuando él estaba en el trono, con todo su poder y majestad, ¿trató a su madre Betsabé con desprecio? ¡No! Más bien, leemos en 1 Reyes 2:19: *"Vino Betsabé al rey Salomón para hablarle... Y el rey se levantó a recibirla, y se inclinó ante ella, y volvió a sentarse en su trono, e hizo traer una silla para su madre, la cual se sentó a su diestra."* Uno de los reyes más poderosos que jamás ha existido, se levantó, se inclinó ante una mujer, e hizo ponerle un trono a su lado. Pero no fue por cualquier mujer que él hizo esto: fue por su madre. Por medio de este acto, el Rey Salomón demostró: Yo respeto y cumplo el quinto mandamiento de todo corazón.

Y, también, quiero hacer recordar aquí a nuestro bendito Señor Jesús, de quien se dice en Lucas 2:51: *"Y descendió con ellos (*es decir con sus padres José y María*), y volvió a Nazaret, y estaba sujeto a*

"Y descendió con ellos (es decir con sus padres José y María), y volvió a <u>Nazaret</u>, y estaba sujeto a ellos."

ellos." En aquel tiempo Jesús tenía 12 años. A esta edad comienza la pubertad para los niños, lo cual, a veces, conlleva grandes dificultades. Pero cuando Jesús entró en esa etapa, se dice de él, que estaba sujeto a sus padres.

¿Y qué hizo Jesús en los últimos minutos de su vida? Cumplió en la forma más maravillosa el quinto mandamiento, al encomendar a Su madre a Su discípulo Juan: *"Cuando vio Jesús a su madre, y al discípulo a quien él amaba, que estaba presente, dijo a su madre: Mujer, he ahí tu hijo. Después dijo al discípulo: He ahí tu madre. Y desde aquella hora el discípulo la recibió en su casa"* (Jn. 19:26-27). Mis queridos y jóvenes amigos, muchachos y chicas: Si el Señor Jesús, prácticamente como el ultimísimo acto de su vida terrenal, cumplió el quinto mandamiento al encomendar a su madre a Su discípulo favorito, Juan, ¿no nos anima eso, a todos nosotros, a hacer algo semejante con respecto a nuestros padres? Eso significa que una y otra vez querramos encontrarnos con ellos, en el espíritu del quinto mandamiento, mientras tengamos la posibilidad de hacerlo. Para un cristiano, no existe ningún camino para esquivar este mandamiento. Por más que hagamos las obras más grandes que haya que realizar en este mundo, aun así, no existe camino alguno que esquive el quinto mandamiento: *"Honra a tu padre y a tu madre".*

Cuando los fariseos y saduceos un día, frente a Jesús, criticaron a Sus discípulos, el Señor le respondió: *"¿Por qué también vosotros quebrantáis el mandamiento de Dios por vuestra tradición? Porque Dios mandó diciendo: Honra a tu padre y a tu madre; y: El que maldiga al padre o a la madre, muera irremisiblemente. Pero vosotros decís: Cualquiera*

que diga a su padre o a su madre: Es mi ofrenda
a Dios todo aquello con que pudiera ayudarte, ya no
ha de honrar a su padre o a su madre. Así habéis
invalidado el mandamiento de Dios por vuestra tra-
dición" (Mt. 15:3-6). ¡Cosas graves salieron aquí a
la luz! Los fariseos y saduceos verdaderamente habían tratado, habiendo aconsejado lo mismo a otros,
de esquivar el quinto mandamiento, con el argumento de poner algo más en la ofrenda en vez de cum-
plirlo. Para decirlo en otras palabras: Mis padres
pueden olvidarse de mi apoyo. Prefiero poner algo
más en la ofrenda en vez de ello. ¡Qué equivoca-
ción! Por eso, el Señor Jesús les dio a entender: *"Así*
habéis invalidado el mandamiento de Dios por vues-
tra tradición." Eso es válido para todos aquellos que,
erradamente, opinan que pueden esquivar en alguna forma el quinto mandamiento.

Significado espiritual
del quinto mandamiento

En realidad, aquí no se trata nada más que de
someterse a una orden dada por Dios, o a una situación en la cual nos pone el Eterno y que debemos aceptar. Si el quinto mandamiento dice: *"Hon-*
ra a tu padre y a tu madre", entonces, sencillamente, habla de que los niños deben someterse a sus
padres en todas las cosas. Y, justamente, eso es lo
que Pablo escribe a los hijos de padres creyentes:
"Hijos, obedeced a vuestros padres en todo, porque
esto agrada al Señor" (Col. 3:20). Aquí veo el significado espiritual más profundo del quinto mandamiento, es decir el total sometimiento a una autoridad instituida por Dios.

Todo ser humano, varias veces en su vida, llega a una situación en la cual se encuentra frente a frente con una autoridad nueva. Y qué importante es que uno se someta totalmente, que acepte la nueva autoridad y sea obediente. Pero, justamente, aquí se presenta un gran problema. Porque el ser humano, por naturaleza, es muy rebelde y se resiste a más de una autoridad durante el correr de su vida. Naturalmente, que en algunos eso es más visible que en otros pero, en el fondo, el ser humano no siempre está dispuesto, de corazón, a aceptar una autoridad por encima suyo. Y porque es así: que el ser humano por naturaleza no se quiere someter, es que tenemos tanto anarquismo en el mundo. Este se extiende desde el escenario más alto, el gobierno, hasta la plataforma más baja, la familia. Nadie quiere someterse al otro, nadie quiere tener a otro por encima de él. Este es, dicho sencillamente, el mal de toda la humanidad. La Biblia, sin embargo, dice, con respecto a esto: *"Sométase toda persona a las autoridades superiores; porque no hay autoridad sino de parte de Dios, y las que hay, por Dios han sido establecidas"* (Ro. 13:1). Y Pablo escribe a su hijo espiritual Tito: *"Recuérdales que se sujeten a los gobernantes y autoridades, que obedezcan, que estén dispuestos a toda buena obra"* (Tito 3:1).

Lo que significa someterse a un gobierno dado por Dios, lo vivió, en forma muy especial, nuestro Señor Jesús. Cuando El se hallaba frente a Pilato y no respondía a las preguntas de éste, Pilato le dijo: *"¿A mí no me hablas? ¿No sabes que tengo autoridad para crucificarte, y que tengo autoridad para soltarte?"* (Jn. 19:10). A esto, el Señor Jesús le contestó lo siguiente: *"Ninguna autoridad tendrías contra mí, si no te fuese dada de arriba"* (v. 11). De

"Honra a tu padre y a tu madre"

modo que Jesús aceptaba la autoridad y el poder de
Pilato sobre El, como dado por Dios, aun cuando El
,como Hijo de Dios fácilmente podría haberse defen-
dido de la misma. Pero no lo hizo, sino que vivió lo
que en Hebreos 12:3 nos dice: *"Considerad a aquel
que sufrió tal contradicción de pecadores contra sí
mismo, para que vuestro ánimo no se canse hasta
desmayar."* El Señor Jesucristo nunca se opuso a
ningún tipo de adversidad ni, tampoco, a ninguna
autoridad. Al contrario: Hasta Su muerte permaneció humildemente en esa actitud. Con respecto a esto, dice de El: *"sino que se despojó a sí mismo, tomando forma de siervo, hecho semejante a los hombres; y estando en la condición de hombre, se humilló
a sí mismo, haciéndose obediente hasta la muerte, y*

muerte de cruz" (Fil. 2:7-8). Hasta el final, Jesucristo mantuvo una actitud de siervo, sometiéndose siempre a toda autoridad.

Aun cuando, una vez, hizo una buena obra y le echaron a causa de ella, El no se defendió, sino que se alejó. Eso sucedió en la zona de los gadarenos, cuando El sanó a dos endemoniados. ¿Cuál fue la consecuencia? Los habitantes de toda la ciudad no supieron hacer nada mejor que echar de su región a Jesucristo. Leemos en Mateo 8:34: *"Y toda la ciudad salió al encuentro de Jesús; y cuando le vieron, le rogaron que se fuera de sus contornos."* Esto sucedió inmediatamente después de la milagrosa liberación de dos endemoniados, pero Jesús no se defendió, sino que se doblegó a la voluntad de los habitantes de aquel lugar y los dejó: *"Entonces, entrando Jesús en la barca, pasó al otro lado y vino a su ciudad"* (Mt. 9:1).

Jesucristo mostró, en forma maravillosa, lo que significa someterse a una situación dada o a una autoridad dada. El nos ejemplificó que los momentos de nuestra vida donde nos sentimos oprimidos o calumniados, son dados para que nos dominemos a nosotros mismos, aprendiendo a someternos a estos acontecimientos.

Entendamos bien: No hablo aquí de pasar por alto la injusticia. ¡No! ¡Eso tampoco lo hizo nuestro Señor Jesús! Recordemos tan solamente cuando El limpió el templo. Hablo, más bien, de que Jesús nunca se negó a aceptar una autoridad dada. Y es justamente eso lo que deberíamos comprender por fin: a someternos de antemano a una situación o autoridad dadas. A mi manera de ver, ésa es la enseñanza espiritual del quinto mandamiento: *"Honra a tu padre y a tu madre."* Los padres nos son dados por Dios. Ellos solamente quieren lo mejor para sus hijos, aun cuando éstos no siempre lo entiendan. Por eso, los hijos una y otra vez deberían someterse a ellos de todo corazón. La vida, con todos sus lados lindos pero también difíciles, con sus pruebas fuertes, viene de Dios, quien solamente tiene pensamientos buenos para con nosotros. Y, por eso, deberíamos estar en nuestros puestos en actitud de humildad, tanto hombres como mujeres, y someternos a todas las situaciones y autoridades dadas para, así, honrar a nuestro gran Dios en el cielo. Si hacemos esto, entonces en nuestras vidas se cumplirá, en forma maravillosa, lo que le es añadido como promesa al quinto mandamiento: *"...para que tus días se alarguen en la tierra que Jehová tu Dios te da."* A los seres humanos, especialmente a los cristianos, les iría mucho mejor de esta manera, y hasta bien, si honraran correctamente a sus padres y si aceptaran las situaciones dadas por Dios. ¡El Señor te dé gracia para ambas cosas!

El Cristiano

לא תרצח
לא תנאף
לא תגנב
לא תענה
לא תחמד

ד׳
יהיה
לא תשא את
זכור את
כבד את

אנכי
לא
לא

y el Sexto
Mandamiento

Lo que no nos quiere
decir el sexto mandamiento

"No matarás" (Ex. 20:13) De modo ninguno se dirige contra aquellos que sirven a su patria como soldados o que ejercen el servicio militar como profesión. Declaraciones, que hombres (y mujeres) que hacen eso, estuvieran pecando con su servicio militar contra el sexto mandamiento, no son otra cosa que distorsiones y redefiniciones del texto.

Algunos años atrás en Alemania se desató una gran discusión. Alguien había dicho que los reclutas del ejército eran, todos, asesinos en potencia. Esta era una declaración muy dura la cual, naturalmente, fue combatida y discutida firmemente. Lastimosamente en cada conflicto armado hay criminales de guerra.

Pero los reclutas jóvenes, que hoy están haciendo su servicio militar, no deben ser denominados asesinos en potencia, haciéndolos pasar así por personas que pecan contra el sexto mandamiento.

El Señor con este mandamiento no se refería, para nada, al servicio militar. Además de que, en el Antiguo Testamento, Dios mismo ocasionó y hasta planificó muchas guerras, en el contexto de la Legislación del Sinaí, El ordenó a Israel el servicio militar para todos. En Exodo 23, donde Dios da al pueblo de Israel las instrucciones para la conquista de la tierra, El dice: *"Yo enviaré mi terror delante de ti, y consternaré a todo pueblo donde entres, y te daré la cerviz de todos tus enemigos... No los echaré de delante de ti en un año, para que no quede la tierra desierta, y se aumenten contra ti las fieras del campo. Poco a poco los echaré de delante de ti, hasta que te multipliques y tomes posesión de la tierra"* (vs. 27, 29-30). Aquí tenemos un plan concretamente establecido de cómo el pueblo de Israel debía echar a los pueblos paganos: poco a poco.

Ahora, hay una cosa que debemos tener en cuenta con claridad: Cuando Dios dijo que El se ocuparía de que los enemigos de Israel huyeran, eso no significaba que todos los enemigos de Israel huirían, que Dios mismo actuaría en forma directa. No, sino que el ejército de Israel debía hacerlo, naturalmente con la ayuda de Dios. En este sentido, por ejemplo, también se debe entender Deuteronomio 11:24, donde se le dice a los israelitas: *"Todo lugar que pisare la planta de vuestro pie será vuestro; desde el desierto hasta el Líbano, desde el río Eufrates hasta el mar occidental será vuestro territorio."* Si aquí dice que todo lugar que pisare la planta de su pie pertenecería a Israel, eso significaba que si bien Dios ya había dado esta tierra

a los israelitas de antemano, ésta recién se convertiría verdaderamente en su propiedad cuando ellos la
hubieran conquistado militarmente. Nuevamente
queremos enfatizar: El sexto mandamiento de ninguna manera tiene algo que ver con el servicio militar.
Por lo contrario, Dios ordenó a los israelitas tener un
ejército combativo.

Pero, ¿cómo es esto, ahora, en el Nuevo Testamento? ¿Existen allí declaraciones que condenen el servi-

**El Señor con este mandamiento no se refería, para nada, al servi-
cio militar. Además de que, en el Antiguo Testamento, Dios mismo ocasionó y hasta planificó muchas guerras**

cio militar o aun que lo prohiban? De acuerdo a mi conocimiento, no. Un día, cuando muchas personas se
dirigieron al Jordán para hacerse bautizar por Juan
el Bautista para perdón de pecados, también había algunos soldados entre ellos. Como todas las personas
que, en aquel entonces, llegaban a Juan, también
ellos le pidieron al Bautista que les dijera cómo debían vivir. Leemos en Lucas 3:14a: *"También le preguntaron unos soldados, diciendo: Y nosotros, ¿qué
haremos?"* ¿Qué les contestó Juan? ¿Acaso les dijo que
ellos, inmediatamente, debían deshacerse de su jura-
mento militar? ¿Que nunca más deberían hacer el
servicio militar, ya que, de otro modo, pecarían contra
el sexto mandamiento y serían asesinos en potencia?
No, nada de eso. Sino que, más bien, les dio dos indi-
caciones muy claras: *"Y les dijo: (1) No hagáis extor-
sión a nadie, ni calumniéis; y (2) contentaos con vuestro salario"* (v. 14b) De modo, que Juan no cuestionó el
servicio militar en los más mínimo, sino que simplemente exhortó a no hacerse culpable de delitos de
guerra y a comportarse como hombres honorables
mientras realizaban dicho servicio.

La misma manera de proceder también la vemos
en Pedro, después de que él fue invitado, por el romano Cornelio, a la casa de éste en Cesarea. Este
comandante era *"piadoso y temeroso de Dios con toda su casa, y... hacía muchas limosnas al pueblo, y
oraba a Dios siempre"* (Hch. 10:2). Por esta razón,
Pedro, quien inicialmente no quería visitar a este
oficial pagano, fue exhortado por el Señor mismo a
ir a él en Cesarea. Cuando Pedro llegó allá, Cornelio lo saludó con las palabras: *"...has hecho bien en
venir. Ahora, pues, todos nosotros estamos aquí en
la presencia de Dios, para oír todo lo que Dios te
ha mandado"* (v. 33).

"...para oír todo lo que Dios te ha mandado": Quizás Cornelio, quien de todo corazón buscaba al Dios de Israel, hasta habría estado dispuesto a dejar su carrera militar, si Pedro así se lo hubiera exigido. ¿Le dijo Pedro que él, como hombre piadoso, debería dejar inmediatamente el servicio militar, y que nunca más podría llevar la espada? ¡De ningún modo! Después de que Pedro le hubo predicado el evangelio de Jesucristo a él y a todos los que estaban en su casa y de que, repentinamente, el Espíritu Santo cayera sobre todos los presentes, Pedro solamente pudo decir: *"¿Puede acaso alguno impedir el agua, para que no sean bautizados éstos que han recibido el Espíritu Santo también como nosotros? Y mandó bautizarles en el nombre del Señor Jesús"* (vs. 47-48). De modo, que Cornelio no tuvo que dejar su carrera militar, sino que él siguió siendo oficial del ejército romano. A diferencia de antes, sin embargo, él ahora era un cristiano nacido de nuevo. Tales soldados y oficiales piadosos existen hoy en todo el mundo. Y todos ellos no son personas que están pecando contra el sexto mandamiento.

El sexto mandamiento con respecto a la pena de muerte

Cuando Dios dice: *"No matarás"*, en ninguna manera condena la tan discutida pena de muerte, que todavía es practicada en algunos países. En la Biblia de Scofield dice lo siguiente, con respecto a la traducción del texto original del sexto mandamiento:

La lengua hebrea usa diferentes palabras para expresar el término *"matar"*. El verbo usado aquí (Ex. 20:13) es una palabra especial, que solamente puede significar "asesi-nato", y que siempre indica un acto intencional.

Esta explicación es muy importante, porque aclara que en el sexto mandamiento no se trata de si la pena de muerte está permitida o no. No, sino que se trata más bien de la condena del matar o asesinar intencionalmente a alguien. Por eso, hay versiones que no traducen el sexto mandamiento con las palabras *"No matarás"*, sino *"No asesinarás"*. Las dos mejores traducciones holandesas lo formulan de la siguiente manera: *"Gij zult niet doodslaan"*. Traducido literalmente al español, esto significa: *"No debes dar muerte a golpes"*. Esto significa: no matar a alguien usando la violencia.

Soy muy consciente que el asunto de la pena de muerte, para muchos cristianos, constituye un gran problema. Sin embargo, quizás deberíamos tomar nota, nuevamente, en la actualidad, que en el Antiguo Testamento la pena de muerte era un asunto absolutamente indiscutible. En aquel entonces, nunca se hacía la pregunta de "si" este castigo era correcto y apropiado, sino sólo y únicamente de "quien" lo merecía.

El Antiguo Testamento siempre muestra, inequívocamente, quién realmente merece la pena de muerte: Aquel que peca contra el sexto mandamiento, matando intencionalmente, o sea asesinando. Dicho en otras palabras: La pena de muerte, en el Antiguo Testamento, era la consecuencia inevitable de la infracción contra el sexto mandamiento.

Este hecho Dios ya lo presentó a la humanidad desde el principio. Después de que Dios salvó a Noé y a su familia del diluvio, en el arca, El hizo un pacto con ellos. Un punto muy importante del mismo era la institución de la pena de muerte: *"El que derramare*

*sangre de hombre, por el hombre su sangre será derra-
mada; porque a imagen de Dios es hecho el hombre"*
(Gn. 9:6). Esta es una afirmación tan clara que, en
realidad, no puede ser malentendida. Además de ésta,
encontramos en el Antiguo Testamento numerosas referencias a este tema. Así, por ejemplo, dice en Exodo
21, donde trata acerca de las ordenanzas generales de
justicia: *"El que golpeare a alguno, haciéndole así morir, él morirá"* (v. 12). Y en Levítico 24:17 dice: *"Asimismo el hombre que hiere de muerte a cualquiera
persona, que sufra la muerte."* Vemos, entonces, que la
pena de muerte, en el Antiguo pacto, era un asunto
absolutamente real y normal.

Naturalmente, enseguida se hace oír la pregunta:
¿Cómo es eso en el Nuevo Pacto, o sea, qué dice el
Nuevo Testamento al respecto? ¿Se puede, así no más,
continuar practicando la pena de muerte?

¿No más oportunidades
para convertirse?

Un argumento muchas veces usado por los cristianos contra la pena de muerte es: Si uno ejecuta a una
persona condenada a muerte, la misma ya no tiene
más oportunidades para convertirse, y entra en la
condenación eterna sin salvación. Permítanme mencionar lo siguiente al respecto: La posibilidad de que
un asesino liberado se convierta, está en la relación
de uno en cien. Las experiencias muestran que es
más fácil que un asesino dejado en libertad vuelva a
hacer las mismas atrocidades, que decida no hacerlas
más.

Si un animal ataca a un ser humano y lo hiere de
muerte, la gente está convencida de que volverá a

atacar a otra persona si no se le mata antes. A un perro ya se le mata si ha dado muerte a un animal más pequeño, ya que todos están convencidos de que volverá a hacerlo.

¿Por qué no hay quienes quieran convencerse que el ser humano, con respecto a sus atrocidades, es tan terrible, o quizás aun más, que un animal, y que un criminal liberado casi siempre se convierte en repetidor de sus fechorías?

Un animal, por lo general, solamente mata para comer, por defensa propia o cuando se siente inmediatamente amenazado. ¡Un ser humano, sin embargo, mata por puras ganas de matar! Viola, mutila, tortura, y hasta martiriza a sus semejantes hasta la muerte. Y está dispuesto a volver a hacerlo por segunda vez, si tiene la oportunidad para ello. Por eso, en la actualidad, muchos criminales son reincidentes. ¡Cuántos violadores han cometido el mismo acto criminal repetidas veces; cuántos asesinos cometieron la misma calamidad, después de que se les hubo dejado en libertad!

El clamor: "Necesitamos la pena de muerte", también toca mis sentimientos más profundos. Pero cuando veo todo lo que sucede hoy en día y que, muchas veces, a quienes prenden después de un acto criminal son reincidentes, entonces, en contra de todos mis sentimientos, tengo que admitir: ¡Después de todo la Biblia tiene razón!

Si la gente tuviera más coraje para penalizar a los asesinos y violadores conforme a las medidas bíblicas, habría más orden y menos víctimas. Pero esto no se hace. Por el contrario. Hoy en día, hasta a los peores criminales se les declara simplemente como irresponsables de sus actos. Con lo cual el tiempo de condena es menor, dándoles la posibilidad de que, al cabo de unos pocos años, vuelvan a sus malas andanzas.

Un ejemplo: Hace unos años, el belga, Marc Dutroux, asesinó cruelmente a varias jóvenes. Este hombre era un reincidente, en el sentido más triste de la palabra, porque las atrocidades por las cuales fue condenado ya las había practicado más de una vez. Después de su liberación, él siguió en el mismo camino. Tuvieron que volver a morir varios niños hasta que realmente lo encarcelaron por más tiempo. Si a Dutroux se le hubiese aplicado la pena justa, hoy habría

Si un animal ataca a un ser humano y lo hiere de muerte, la gente está convencida de que volverá a atacar a otra persona si no se le mata antes. A un perro ya se le mata si ha dado muerte a un animal más pequeño, ya que todos están convencidos de que volverá a hacerlo.

varios niños con vida. Pero se le volvió a dejar en libertad lo que conllevó a otros crímenes atroces. Hoy en día, inexplicablemente, este hombre está recibiendo en su celda correspondencia de Fans y, por cierto, en su mayoría, mujeres. Uno se pregunta si esto todavía es normal.

En cuanto al argumento de impedir el camino hacia la vida eterna, a un condenado a muerte al cual realmente van a ejecutar, recordemos lo siguiente: Hubo una vez dos asesinos, que sólo les restaban pocas horas de vida. Pero en este poco tiempo todavía pudieron establecer un contacto con el príncipe de la vida, con Jesucristo. Se trata de los dos delincuentes que fueron crucificados junto a Jesús. Ambos asesinos sabían que ya a esta altura sólo él les podría ayudar. Sabemos, de esta historia bíblica, que uno de ellos se convirtió y que Jesús le dijo estas gloriosas palabras: *"De cierto te digo que hoy estarás conmigo en el paraíso"* (Lc. 23:43). A pesar de que ninguna persona en este mundo deba confiar en que al final de sus días todavía va a tener la posibilidad de convertirse, en el pasado hubo más conversiones de criminales de lo que suponemos. ¡Esto sucede únicamente por la misericordia de Dios! El siguiente hecho verídico habla acerca de un asesino que, en los últimos días de su vida, pudo tener un encuentro con Jesús:

> En la prisión de Flensburg, estaba recluido el hombre que cometió el horrible homicidio, con motivación sexual, de una joven muchacha. Ahora estaba condenado a muerte. Había realizado un intento de fuga y otro de suicidio, fallidos. El desesperado estado espiritual de este homicida era estremecedor. Por las noches era atormentado por

Hubo una vez dos asesinos, que sólo les restaban pocas horas de vida. Pero en este poco tiempo todavía pudieron establecer un contacto con el príncipe de la vida, con Jesucristo. Se trata de los dos delincuentes que fueron crucificados junto a Jesús.

la blanca figura de la muchacha asesinada. Acostado en su lecho gemía, atemorizado por la conciencia que le torturaba. En este tiempo, una diaconisa estaba solicitando los permisos para visitar a este recluso. Y la luz del amor brilló en este corazón ensombrecido y vacío. El profundamente endeudado vino con su carga a Jesús, al príncipe de la vida, al que venció a Satanás. Fue así que el asesino encontró misericordia y paz con Dios.

Cuando se le comunicó que al día siguiente sería ejecutado, sintió paz y sosiego en lo más profundo de su ser. En la última noche, el inspector de
la cárcel le dijo: "Hombre, piense en su alma!" El
asesino contestó: "Señor inspector, ya pasé por eso!".
Humildemente, en calma y orando, salió por última
vez de su celda hacia el patíbulo. En el lugar de la
ejecución oró en alta voz: "Querido Redentor, tú me
salvaste. Tú me perdonaste. Ayúdame!"

¡Es la inconmensurable misericordia de Dios la que
permitió que algunos homicidas, antes de ser ejecuta-
dos, encontraran, y sigan encontrando, al Salvador!

Pero volvamos al otro delincuente crucificado en el
Gólgota. Sabemos de él que no se convirtió. ¿Que ocurrió después? ¿Cómo trató Jesús a este hombre? Si Jesús realmente hubiese sido un adversario tan vehemente de la pena de muerte, como sostienen algunos
cristianos hoy en día, sin falta debería haber impedi-
do la condenación de este hombre, para que éste todavía se hubiese podido convertir. Jesús le hubiese podido explicar: "A decir verdad, tú todavía no estás preparado para el paraíso, pero como no quiero que te
pierdas, me preocuparé de que tu ejecución sea interrumpida. Así obtendrás tiempo para ordenar tu vida
y convertirte a Dios." Para nuestro Señor hubiese sido
absolutamente posible llevar esto a cabo. ¿Pero fue esto lo que hizo? ¡No! Lo aceptemos o no: Después de
que el condenado a muerte rechazó a Jesús, el Señor
no le volvió a dirigir la palabra. Dejó que se marchara
sin salvación hacia la condenación eterna.

A los que a veces queremos ser "más humanos" que
Jesús, esta realidad nos debería hacer reflexionar. En
resumen, podemos sostener: El sexto mandamiento
no es un mandamiento contra la pena de muerte.

El aborto es el asesinato de una vida por nacer

Acerca de este tema, se está debatiendo y escribiendo mucho hoy en día, por lo que voy a ser bastante breve. Para los cristianos creyentes el aborto es un asesinato, por lo tanto, un atentado contra el sexto mandamiento. ¿Por qué ? Porque un niño no

Para los cristianos creyentes el aborto es un asesinato, por lo tanto, un atentado contra el sexto mandamiento. ¿Por qué ? Porque un niño no tiene un alma viva recién después de haber visto la luz del mundo, sino desde el momento de la concepción.

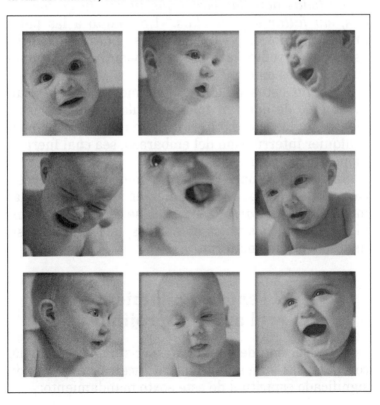

tiene un alma viva recién después de haber visto la luz del mundo, sino desde el momento de la concepción. Dicho en otras palabras, desde que en el vientre de la madre se formaron los primeros indicios de la nueva vida. El Salmo 139: 13-16 dice al respecto: *"Porque tú formaste mis entrañas; tú me hiciste en el vientre de mi madre. Te alabaré; porque formidables, maravillosas son tus obras; estoy maravillado, y mi alma lo sabe muy bien. No fue encubierto de ti mi cuerpo, bien que en oculto fui formado, y entretejido en lo más profundo de la tierra. Mi embrión vieron tus ojos, y en tu libro estaban escritas todas aquellas cosas que fueron luego formadas, sin faltar una de ellas."* En cuanto a las palabras "Mi embrión vieron tus ojos" Ludwig Albrecht escribe: "Se refiere al niño en el vientre materno en sus primeros inicios."

¿No son estas palabras sumamente claras? Dan testimonio de que tan sólo un óvulo fecundado en el vientre de la madre, ya es un alma viva. Por lo cual cualquier interrupción del embarazo, sea cual fuera el momento, ¡es un asesinato!

Espero que, como cristianos, tomemos una posición clara. Porque si Dios dice en el sexto mandamiento: *"No matarás"*, entonces se refiere hoy también a los muchos niños no nacidos, que fueron asesinados en el seno materno.

El sexto mandamiento y el amor al prójimo

En el sermón del monte, Jesucristo nos compartió, con palabras sumamente claras, acerca del profundo significado espiritual de este sexto mandamiento:

"Oísteis que fue dicho a los antiguos: No matarás; y cualquiera que matare será culpable de juicio. Pero yo os digo que cualquiera que se enoje contra su hermano, será culpable de juicio; y cualquiera que diga: Necio, a su hermano, será culpable ante el concilio; y cualquiera que le diga: Fatuo, quedará expuesto al infierno de fuego" (Mt. 5:21-22). En otras palabras, el Señor Jesús explica aquí que no sólo el que realmente asesina es quien peca contra el sexto mandamiento, sino que comete el mismo pecado aquél que, con palabras injuriosas, ofende y ataca al hermano en la fe. Desde el punto de vista espiritual, la persona que comete tal cosa, es transgresor directo del sexto mandamiento. El apóstol Juan explica, en su primer epístola, que esto realmente es así: *"Todo aquel que aborrece a su hermano es homicida; y sabéis que ningún homicida tiene vida eterna permanente en él"* (1 Jn. 3:15). ¿No nos aterra esta dura verdad hasta lo más profundo de nuestro corazón?

Tal vez ahora nos venga a la memoria uno u otro momento en que le hemos dicho malas palabras a alguien, provocando así una injusticia en un hermano o hermana en Cristo. Si es así, entonces hemos pecado contra el sexto mandamiento.

Si solamente comprendiéramos lo que significa Romanos 13:8: *"No debáis a nadie nada, sino el amaros unos a otros."* Lo cual nos quiere decir que no sólo podemos y debemos amar a nuestro prójimo, sino que cada uno está profundamente endeudado con su prójimo si se trata del amor. Pero, justamente, esto es muy difícil. ¡Cuántas veces hay en nosotros cualquier otra cosa, menos amor verdadero!

Todos tenemos nuestros sentimientos y emociones. Es por eso que un hermano en la fe a veces nos simpatiza más que otro. A una hermana en la fe, por ejemplo, preferiríamos evitar, pero a la otra, en cambio, la queremos saludar a cualquier precio. ¿Como podemos superar esta mala costumbre tan arraigada? ¿Como es posible amar realmente a cada prójimo? ¿Como podemos saludar a cada persona de la misma manera en la que saludaríamos a nuestro mejor amigo? Y sobre todo: ¿Como puedo tratar abiertamente y sin rencor alguno, mirándole fijamente a los ojos, y hablar sin prejuicios a quien de alguna manera, en algún momento, me ha causado un gran dolor?

La respuesta es: Que no ame en base a los sentimientos (simpatía o antipatía) sino que ame de tal manera como Juan, "el apóstol del amor", amó a sus hijos espirituales. Justamente, este discípulo de Jesús que, en su primera carta, pudo escribir tan dura y categóricamente: *"Todo aquel que aborrece a su hermano es homicida"*, en su segunda carta, nos da una indicación clara de cómo debemos amar: *"El anciano a la señora elegida y a sus hijos, a quienes yo amo en la verdad; y no sólo yo, sino también todos los que han conocido la verdad, a causa de la verdad que permanece en nosotros, y estará para siempre con nosotros"* (2 Jn. 1-2). ¿Cuál era, pues, el motivo por el cual Juan pudo escribir a los destinatarios de esta segunda epístola: *"yo los amo"*? Esto no sucedió por pura cortesía, sino que Juan los amaba realmente. Veamos nuevamente la palabra: *"en la verdad; y... a causa de la verdad que permanece en nosotros..."* En la traducción de Ludwig Albrecht, dice en el segundo versículo: *"Los amo por voluntad a la verdad, que vive en nosotros, y que permanecerá con nosotros por la eternidad."* La verdad que mora en nosotros, que siempre permanecerá con nosotros, se refiere ni más ni menos a Jesucristo mismo quien, en Juan 14:6, dice: *"Yo soy... la verdad..."* Aquí encontramos una clara indicación de que sólo podemos amar realmente, si nuestro más profundo móvil es Jesucristo mismo. Efectivamente sólo podemos amar realmente, si esto ocurre en, por y a través de Jesucristo. Lo cual significa, en sentido práctico, que debemos tratar a nuestro prójimo únicamente en el carácter y en la esencia de Jesús. Pablo escribe en cuanto a esto: *"De manera que nosotros de aquí en adelante a nadie conocemos según la carne..."* (2 Co. 5:16). Si esto se hace una realidad en nosotros, entonces ya no volveremos a pecar espiritualmente contra el sexto mandamiento.

Pero, adelantemos un paso más y preguntémonos: ¿Cual es el requisito por el que puedo tratar a mi prójimo realmente en la esencia de Jesús? Para obtener la respuesta, volvamos nuevamente a Juan. ¿Que fue

¿Jesucristo, realmente, vive cada día, cada hora, cada minuto en ti? Si es así, entonces eres capaz de amar a tu prójimo como debes.

exactamente lo que dijo en su segunda epístola? ¿Por qué podía testificar a los destinatarios de su carta que él los amaba? Porque no sólo les escribió: *"Los amo por voluntad a la verdad..."*, sino que agregó: *"...que vive en nosotros, y que permanecerá con nosotros por la eternidad."* No consiste sólo en que tratemos de amar a nuestro prójimo "por voluntad a la verdad", o sea por voluntad de Jesús. Debemos cuidar de que esto también sea posible. ¿De qué manera es esto posible? Sólo en tanto que la verdad, o sea Jesús, realmente pueda vivir en nosotros. Pues a eso se refiere Juan cuando escribe: *"Los amo por voluntad a la verdad, que vive en nosotros..."*

¿Jesucristo, realmente, vive cada día, cada hora, cada minuto en ti? Si es así, entonces eres capaz de amar a tu prójimo como debes. Espiritualmente ya no eres un "homicida", sino por el contrario, eres alguien que cumple absolutamente el sexto mandamiento *"No matarás"*. ¿Por qué? Porque también está escrito: *"El amor no hace mal al prójimo; así que el cumplimiento de la ley es el amor"* (Ro. 13:10).

El Cristiano

y el Séptimo Mandamiento

"No cometerás adulterio" (Exodo 20:14)

El adulterio es una violenta irrupción de un tercero en una relación conyugal ya establecida. No debemos confundir el adulterio con la fornicación. A pesar de que el adulterio siempre tiene que ver con la fornicación, es mucho peor que ella, porque a través del adulterio se destruye una relación ya establecida.

Aquella célula llena de vida, que ha sido creada al hacerse uno el hombre y la mujer, es atacada de una forma muy desagradable. Debido a esto, el pecado del adulterio es la peor forma de la fornicación.

En el Antiguo Testamento, este pecado se castigaba con mucha severidad:

- *"Si un hombre cometiere adulterio con la mujer de su prójimo, el adúltero y la adúltera indefectiblemente serán muertos"* (Levítico 20:10).

- *"Si fuere sorprendido alguno acostado con una mujer casada con marido, ambos morirán, el hombre que se acostó con la mujer, y la mujer también; así quitarás el mal de Israel"* (Deuteronomio 22:22).

El pecado del adulterio ¿sólo sucede entre los hijos de este mundo? No, lamentablemente debemos comprobar que también se puede encontrar entre cristianos renacidos. Con esto, no quiero, de ninguna manera, colocar a la misma altura a un verdadero cristiano con una persona del mundo. Un cristiano no va a infringir el séptimo mandamiento, *"No cometerás adulterio"*, con tanta ligereza como una persona del mundo, ya que es creyente. Pero, de todas maneras, pueden haber situaciones y momentos en la vida de un cristiano, en la cual transgreda el séptimo mandamiento. Sí, también un cristiano está en la situación de infringir el séptimo mandamiento, así como es capaz de cometer cualquier otro pecado. Si no fuera así, Dios no hubiese dado, en aquel momento, éste y todos los demás mandamientos al pueblo de Israel, el *pueblo de Dios* sobre la tierra, sino a los pueblos gentiles vecinos. Pero, como también el *pueblo de Dios* era propenso a cometer cada pecado, le fueron dados los diez mandamientos. En este sentido, también nosotros, como pueblo de Dios neotestamentario, debemos tomar a pecho este séptimo mandamiento: *"No cometerás adulterio."* Pues vuelvo a reiterar: la carne, nuestro viejo hombre, a cada momento es capaz de cometer cualquier pecado, si no estamos en Cristo. El apóstol Pablo lo expresa así: *"Y yo sé que en mí, esto es, en mi carne, no mora el bien; porque el querer el bien está en mí, pero no el hacerlo"* (Romanos 7:18).

Si hablamos del "mundo": Hay incrédulos que le son fieles a sus parejas de por vida. También hay pueblos gentiles que, desde el punto de vista moral, tienen un muy alto nivel, en tanto que - a pesar de no conocer los diez mandamientos - cumplen absoluta y estrictamente el séptimo mandamiento. ¡Para ellos es moralmente lógico no incurrir en tal fechoría! Pablo menciona esta clase de gentiles en Romanos 2:14: *"Porque cuando los gentiles que no tienen ley, hacen por naturaleza lo que es de la ley, éstos, aunque no tengan ley, son ley para sí mismos."* Estas personas que no poseen leyes, sí poseen un alto sentir ético y viven de acuerdo a él. Más de un cristiano podría tomar ejemplo de ellos.

¿Por qué fracasan tantos matrimonios?

Porque no se quiere admitir que el matrimonio es una institución divina. Deliberada e intencionalmente se niega la realidad de que la unión del matrimonio fue obra de Dios desde la creación y fue declarada sagrada.

Es obvio que todas las barreras caen, si se parte de la tesis que no existe el matrimonio y que el muro de protección alrededor de la comunidad conyugal del hombre y la mujer es una quimera, por lo que la convivencia marital no es obligatoria. Tenemos también el así denominado cambio de pareja, que hoy por hoy pulula por todas partes, que ya no es una moralidad pervertida - cosa que sí es en el verdadero sentido de la palabra - sino una cuestión "totalmente legítima", por la cual ya nadie se tiene que sentir avergonzado.

¿Por qué fracasan tantos matrimonios? Porque no se quiere admitir que el matrimonio es una institución divina.

Detengámonos un momento y preguntémonos como se ve esto en relación a los cristianos. Lo que quiero decir es: ¿Que opina el cristiano de hoy con respecto al matrimonio? Pues, ciertamente también hay creyentes que niegan y rechazan el hecho de que la convivencia del hombre y la mujer sólo sea permitida por medio de un matrimonio oficial. ¿Por qué lo hacen? Porque, en su opinión, el matrimonio, tal como lo conocemos hoy y como es practicado y tomado en serio por muchas personas, no se encuentra en la Biblia. ¡Qué camino tan errado tomaron estos hermanos y hermanas!

¿Realmente no hay referencias claras acerca del matrimonio en la Biblia? ¡Claro que sí! A pesar de que en la Sagrada Escritura no encontremos la palabra "registro civil" y a pesar de que no leamos acerca del pedido de bendición para una pareja de novios, de todas maneras hay indicios muy precisos y convincentes en relación al enlace matrimonial. ¡Pensemos en la institución del matrimonio, a través de Dios mismo, en la creación! Después que de la costilla de Adán el Señor creó a Eva, leemos: *"Dijo entonces Adán: Esto es ahora hueso de mis huesos y carne de mi carne; ésta será llamada Varona, porque del varón fue tomada. Por tanto, dejará el hombre a su padre y a su madre, y se unirá a su mujer, y serán una sola carne"* (Génesis 2:23-24). ¿Las palabras: *"Por tanto, dejará el hombre a su padre y a su madre, y se unirá a su mujer, y serán una sola carne"* hablan acerca de un acuerdo privado y secreto entre un joven y una chica? ¿Se refieren a un acuerdo que se mantiene sólo por un período de tiempo, por lo que en cualquier momento también puede ser anulado o, bien, disuelto? ¿Se nos plantea aquí la situación que hoy en día parecería ser tan normal, en la cual dos personas jóvenes se juntan, conviven un poco, para entonces, cuando se hayan hartado el uno del otro, se vuelvan a separar? ¡De ninguna manera! Antes bien, se nos presenta un acto público, hasta se podría decir oficialmente bendito, el cual se realiza una vez y para siempre. Cuando leemos: *"dejará el hombre a su padre y a su madre"* se nos presenta un suceso, públicamente conocido para cualquiera. En consecuencia, el motivo por el cual el hombre deja a sus padres también es obvio, él *"se unirá a su mujer."* En el texto original, esto significa que él se "aferrará a ella" o "se adherirá a ella". ¿Por qué un hombre hace todo eso? Para ser con su mujer una sola "carne", esto significa llegar a ser una nueva célula. Jesucristo mismo testifica que este paso, esta unión, esta nueva célula, perdurará para siempre (excepto si el hombre o la mujer mueren, Romanos 7:3; 1 Corintios 7:39) no pudiéndose anular ni cambiar, por ejemplo, con la elección de otra pareja. En el evangelio de Marcos, donde Jesús habla acerca del divorcio, dice: *"pero al principio de la creación, varón y hembra los hizo Dios.* (Y, entonces, cita Génesis 2:24:) *Por esto dejará el hombre a su padre y a su madre, y se unirá a su mujer, y los dos serán una sola carne;* (Luego, menciona la consecuencia eterna de esta unión:) *así que no son ya más dos, sino uno. Por tanto, lo que Dios juntó, no lo separe el hombre"* (Marcos 10:6-9). ¿No son estas palabras extremadamente claras, las cuales testifican del estado de absoluto compromiso de cada matrimonio? Cuando al final Jesús declara: *"Por tanto, lo que Dios juntó, no lo separe el hombre",* ¿no señala claramente la realidad de que es Dios quien ha unido al hombre y a la mujer en una relación conyugal?

¡Esto es precisamente lo que muchos de nosotros vivimos en el momento de nuestra boda! No dimos este paso sin pensarlo, sino que muy conscientemen-

Detengámonos un momento y preguntémonos como se ve esto en relación a los cristianos. Lo que quiero decir es: ¿Que opina el cristiano de hoy con respecto al matrimonio?

te permitimos que Dios, el Señor mismo, bendijera esta unión. Al fin y al cabo, es éste el motivo por el cual sabemos que nuestro matrimonio tiene validez de por vida.

En el Antiguo Testamento, encontramos claras referencias de que, ya en aquel entonces, los matrimonios eran oficiales y no podían ser disueltos. Si, por el contrario, un hombre tomaba secretamente a una chica y mantenía relaciones sexuales con ella, entonces sólo había una opción: ¡El hombre debía casarse oficialmente con esta chica y no la podía dejar! Esto lo leemos en Exodo 22:15 y Deuteronomio 22:28-29: *"Si alguno engañare a una doncella que no fuere desposada, y durmiere con ella, deberá dotarla y tomarla por mu-*

jer... Cuando algún hombre hallare a una joven virgen que no fuere desposada, y la tomare y se acostare con ella, y fueren descubiertos; entonces el hombre que se acostó con ella dará al padre de la joven cincuenta piezas de plata, y ella será su mujer, por cuanto la humilló; no la podrá despedir en todos sus días." ¡Estas "cincuenta piezas de plata" que el hombre debía pagar como dote por la chica, nos hablan de un casamiento oficial y de la realidad de que, aquí, se establece públicamente una unión conyugal entre un hombre y una mujer que, por principio, no podía ser disuelto! Es así en toda la Biblia: En ningún lugar encontramos una aprobación, mucho menos una glorificación, del matrimonio desenfrenado. No, la Biblia enseña explícitamente que el matrimonio es un paso público y oficial que, por principio, ya no puede ser disuelto.

¿Qué tiene que ver actualmente un cristiano con el séptimo mandamiento?

Cuando en la Biblia leemos:: *"Honroso sea en todos el matrimonio, y el lecho sin mancilla; pero a los fornicarios y a los adúlteros los juzgará Dios"* (Hebreos 13:4), se está dirigiendo a cristianos *creyentes*. Estas palabras muestran, claramente, que también un hijo de Dios puede caer en el pecado del adulterio. De otra manera, esta exhortación carecería de todo fundamento; sería innecesaria y nunca se hubiese escrito. El rey David es un ejemplo, negativo, de que un hijo de Dios también está en la situación de infringir el mandamiento *"No cometerás adulterio"*. En relación a la elección de David dice: *"Jehová se ha buscado un varón conforme a su corazón, al cual Jehová ha designado para que sea príncipe sobre su pueblo, por cuanto tú no has guardado lo que Jehová te mandó"* (1 Samuel 13:14). Cuando a David, aquí, se le llama "un varón conforme al corazón de Dios", simboliza claramente al creyente actual que, a través del nuevo nacimiento, se convirtió en "un varón conforme al corazón de Dios". David es, entonces, una figura de aquello que está escrito en 2 Corintios 5:17 *"De modo que si alguno está en Cristo, nueva criatura es; las cosas viejas pasaron; he aquí todas son hechas nuevas."* ¡Pero, de todas maneras, justamente David infringió en gran manera el séptimo mandamiento!

El no sólo irrumpió violentamente en una relación conyugal, sino que destruyó ese matrimonio para siempre al asesinar al esposo de aquella mujer que el tomó ilegalmente (2 Samuel 12:9). Es un hecho sumamente triste que alguien que, a través de la fe en Jesucristo, se convirtió en "una persona conforme al corazón de Dios", sea capaz de cometer el peor de los pecados, el adulterio.

Hay tres vías por las cuales un cristiano puede hacerse partícipe del pecado de infringir el mandamiento *"No cometerás adulterio":*

1. A través del divorcio el nuevo matrimonio

Aquellos cristianos que se han divorciado - salvo si ya hubo adulterio -, han infringido de la manera más directa el séptimo mandamiento. En cuanto a esto Jesucristo dice: *"Pero yo os digo que el que repudia a su mujer, a no ser por causa de fornicación, hace que ella adultere; y el que se casa con la repudiada, comete adulterio"* (Mateo 5:32).

Con respecto al divorcio y al nuevo matrimonio, son tantas las cosas que ocurren en este mundo, que a uno le provoca náuseas sólo pensar en ello. Tampoco nos deberíamos ocupar tanto de lo que sucede en el mundo, sino de aquello que ocurre en la Iglesia de Jesucristo. Pablo claramente dice: *"Porque ¿qué razón tendría yo para juzgar a los que están fuera? ¿No juzgáis vosotros a los que están dentro? Porque a los que están fuera, Dios juzgará..."* (1 Corintios 5:12-13). Algunos versículos antes Pablo dice: *"Os he escrito por carta, que no os juntéis con los fornicarios; no absolutamente con los fornicarios de este mundo...; pues en tal caso os sería necesario salir del mundo. Más bien os escribí que no os juntéis con ninguno que, llamán-*

"Honroso sea en todos el matrimonio"

dose hermano, fuere fornicario..." (v. 9-11). No se trata entonces de personas incrédulas, del mundo, sino de creyentes, cristianos que viven en este mundo.

Es lamentable, pero actualmente se registran muchos más divorcios entre cristianos, los cuales luego se vuelven a casar, que nunca antes. Y no se trata exclusivamente de creyentes "comunes", sino también de hermanos que lideran congregaciones.

Bíblicamente el divorcio es considerado adulterio. Allí donde ocurrió y fue reconocido, sólo puede caber: ¡Arrepentirse de todo corazón! El verdadero arrepentimiento del adulterio, siempre se debe extender tanto como lo haya hecho el pecado. Si toda una congregación sufrió por el pecado de adulterio de un hermano o hermana, entonces también toda la congregación deberá saber que hubo arrepentimiento. Pero, en cuanto a esto, quiero aclarar: Arrepentirse por un divorcio, no significa que se deba intentar, por todos los medios, anular lo ocurrido. ¡Antes bien, y con la ayuda de Dios, se debe tratar de hacer lo mejor en la situación dada, en especial allí donde, por nuevas uniones, también hay niños involucrados!

Es maravilloso que también aquí, otra vez, resplandezca la brillante luz del Evangelio: ¡No hay pecado - tampoco en la vida de un hijo de Dios - que sea mayor que el amor perdonador del Padre en Cristo Jesús! Pues al hijo de Dios caído en pecado, pero dispuesto a arrepentirse, claramente se le promete: *"Si confesamos nuestros pecados, él es fiel y justo para perdonar nuestros pecados, y limpiarnos de toda maldad"* (1 Juan 1:9, 2:1). Estas palabras están dirigidas a los hijos de Dios que han caído en pecado y que, por medio del sincero arrepentimiento, quieren volver a la presencia de Jesucristo. ¡Si tú, amado hijo de Dios, te has hecho culpable del pecado de adulterio, entonces sujétate ahora de la mano redentora de tu Salvador! Recuerda que en ciertas cosas que han ocurrido, ya no se puede volver atrás, de manera que, sin falta, se deberá convivir con determinadas situaciones. Pero, esto no debe desesperar a nadie. ¡La misericordia del Se-

Es lamentable, pero actualmente se registran muchos más divorcios entre cristianos, los cuales luego se vuelven a casar, que nunca antes.

ñor no consiste en que el Señor vuelve a encolar el montón de pedazos, sino que, sobre este montón de añicos, él comienza algo totalmente nuevo! Esto no se refiere a una nueva relación conyugal (!), sino a un nuevo comienzo con él y, con ello, nueva bendición y nueva perspectiva.

2. Por medio de miradas codiciosas

De esta manera, muchos hijos de Dios ya se han hecho culpables del mandamiento *"No cometerás adulterio"*. Pues la advertencia del Señor Jesús es muy seria: *"Pero yo os digo que cualquiera que mira a una mujer para codiciarla, ya adulteró con ella en su corazón"* (Mateo 5:28). La mayoría de nosotros podemos testificar sinceramente: "Nunca me he hecho culpable del pecado del séptimo mandamiento; no he irrumpido en un matrimonio ajeno ni me he separado de mi cónyuge." Pero ¿podemos decir, con el mismo convencimiento: "Nunca he adulterado con mis ojos; nunca he pecado con mis pensamientos, tal como lo dice aquí Jesús"?

Hay un hombre en la Biblia, del cual se manifiesta algo que no se dice de ninguna otra persona, excepto de Jesús:

· *"En la región de Uz había un hombre llamado Job, que vivía una vida recta y sin tacha, y que era un fiel servidor de Dios, cuidadoso de no hacer mal a nadie"* (Job 1:1 Dios habla Hoy).

· *"Hubo en tierra de Uz un varón llamado Job; y era este hombre perfecto y recto, temeroso de Dios y apartado del mal"* (Reina Valera).

¿Cómo llegó Job a tal elogio? ¿Por qué se declara algo tan tremendo acerca de él? Porque el se oponía con vehemencia contra cualquier pecado. Job no sólo resistía no cometiendo pecado, sino que tampoco coqueteaba con el pecado. Con su postura, Job se encontraba en la misma línea que el Señor Jesucristo, quien siglos más tarde nos dijo: "Cualquiera que yace con la mujer del prójimo ha adulterado", sino: *"cualquiera que mira a una mujer para codiciarla, ya adulteró con ella en su corazón."*

¿Cómo combatía Job el pecado de la lujuria y la codicia? Al imponerse él mismo la siguiente prohibición: *"Hice pacto con mis ojos; ¿cómo, pues, había yo de mirar a una virgen?"* (Job 31:1). ¡Qué nivel espiritual tan elevado y qué decencia tenía este hombre!

Al resistir al pecado con tanta decisión, Job también cumplió otra declaración neotestamentaria. Hizo algo que el escritor de la carta a los Hebreos no pudo certificar a sus lectores neotestamentarios: *"Porque aún no habéis resistido hasta la sangre, combatiendo contra el pecado"* (Hebreos 12:4).

Si nosotros tomáramos mucho más en serio los pecados que aún no hemos cometido, pero que proliferan en nuestro corazón, estaríamos más cerca que nunca del corazón del Señor. ¡Pues para Jesucristo el pensamiento pecaminoso es tan grave como el pecado cometido! ¡Roguémosle al Señor que nos haga tan sensibles a los pecados secretos de nuestro corazón que, sin piedad, nos comiencen a asustar! Puesto que si esto ocurre, mucho antes estaremos confrontados con los comienzos de determinados pecados en nuestra vida, pudiendo emprender algo para evitarlos más rápidamente, tal como lo hacía Job: *"Hice pacto con mis ojos; ¿cómo, pues, había yo de mirar a una virgen?"* Job ni siquiera permitía que el pecado surgiera, sino que le resistía en sus inicios. ¡Es precisamente eso lo que nosotros también debemos hacer!

En forma muy práctica significa: ¡No frecuentes (más) ningún sitio, donde sepas que serás confrontado con un pecado en particular! ¡Evita revistas, programas de televisión y películas, los cuales sepas que te manchan! ¡Si te es posible elude todas las situaciones de las cuales sepas que, allí, acecha un pecado! ¡Si haces esto consecuentemente, dejarás de cometer el pecado de adulterio también en tu corazón!

3. A través de la destrucción de la relación amorosa celestial con Jesucristo

Los hijos de Dios no sólo pueden adulterar en forma carnal, sino también en forma espiritual. El apóstol Pablo, inspirado por el Espíritu Santo, escribe:

"Hice pacto con mis ojos; ¿cómo, pues, había yo de mirar a una virgen?"

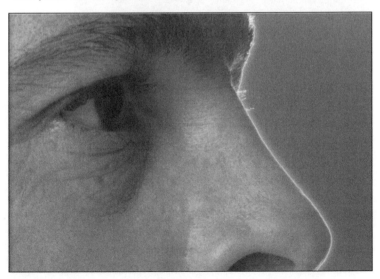

"Pero temo que como la serpiente con su astucia engañó a Eva, vuestros sentidos sean de alguna manera extraviados de la sincera fidelidad a Cristo"

"Por tanto, dejará el hombre a su padre y a su madre, y se unirá a su mujer, y serán una sola carne" (aquí Pablo cita Génesis 2:24 y añade): _"Grande es este misterio; mas yo digo esto respecto de Cristo y de la iglesia"_ (Efesios 5:31-32). Aquí nos enfrentamos con uno de los misterios más profundos y delicados de la Sagrada Escritura, que la relación íntima entre el hombre y la mujer es una figura pa-

ra la relación entre Jesucristo y su Iglesia compra-
da por sangre. Esta verdad, casi es demasiado grande y demasiado maravillosa como para que la cap-
temos con nuestro entendimiento. De todas maneras, nos brinda una idea del ilimitado amor entre
Jesús y los suyos. Y, no por último, el matrimonio
entre un hombre y una mujer es una ocasión sumamente santa. ¡Coloquemos ahora esta maravillosa verdad a la luz del séptimo mandamiento: *"No
cometerás adulterio"* y, con ella, por supuesto, en la
relación entre un hombre y una mujer, si este matrimonio es una imagen de Cristo y su Iglesia, el
sentido de este mandamiento se vuelve aún más am-
plio y profundo! Si el matrimonio humano es una
imagen de la relación ilimitadamente profunda entre Cristo y su Iglesia, entonces el séptimo mandamiento no se refiere tan sólo al matrimonio humano, sino que también a la relación amorosa celestial
entre Jesús y los suyos.

Si pensamos detenidamente, muchos de nosotros
nos deberíamos golpear el pecho. ¿Pues cuántas veces hemos permitido la irrupción de un tercero en
nuestra relación amorosa con Jesús, colaborando de
esa manera a que la profunda relación entre Cristo y nosotros se manchara? O dicho más sencillamente: ¿Cuántas veces, en forma descarada, hemos
adulterado espiritualmente, al permitir que nuestro
corazón se fuera tras cualquier cosa apetecible que
el diablo nos presentara? También para el Apóstol
Pablo ésta había sido una gran preocupación, por
lo que de manera severa escribió a los cristianos
de Corinto: *"Porque os celo con celo de Dios; pues
os he desposado con un solo esposo, para presenta-
ros como una virgen pura a Cristo. Pero temo que
como la serpiente con su astucia engañó a Eva, vues-*

tros sentidos sean de alguna manera extraviados de la sincera fidelidad a Cristo" (2 Corintios 11:2-3). ¿Notas como aquí está escribiendo sobre un tercero que, de alguna manera, se pudo introducir en la profunda relación amorosa entre Cristo y Su Iglesia? ¿Te llama la atención que Pablo esté hablando aquí sobre adulterio espiritual? Todo lo que para nosotros tenga más valor que el Señor mismo - aunque sea por un corto período - es adulterio espiritual. Todas estas cosas siempre provienen del mismo remitente, de aquel tercero que, tan gustosamente, se quiere introducir en la relación amorosa entre Cristo y nosotros, para destruirla. Si de alguna manera el enemigo puede capturar tu corazón, estás cometiendo adulterio espiritual y, con ello, infringiendo directamente el séptimo mandamiento: *"No cometerás adulterio"*. Pues, de la misma manera que un hombre y una mujer son "una carne", porque se aman mutuamente, así somos con el Señor "un espíritu", cuando dependemos de El y lo amamos: *"Pero el que se une al Señor, un espíritu es con él"* (1 Corintios 6:17). Por eso: ¡Sé fiel a Jesús! ¡Por nada te dejes alejar de El! ¡Resiste aquello que, en tu vida, quiera ocupar un lugar más importante que Jesús! ¡Aférrate sólo a El!

El Cristiano

y el Octavo Mandamiento

"No hurtarás" (Exodo 20:15)

En el antiguo pacto, el pecado del hurto (a excepción del hurto de personas) no era castigado con la muerte, sino simplemente con la imposición de devolución duplicada y hasta siete veces la multiplicación de lo robado. En Proverbios 6:30-31, por ejemplo, leemos: *"No tienen en poco al ladrón si hurta para saciar su apetito cuando tiene hambre; pero si es sorprendido, pagará siete veces; entregará todo el haber de su casa."* En el pasaje de Exodo 22:1 leemos acerca de una devolución cuádruple y quíntuple: *"Cuando alguno hurtare buey u oveja, y lo degollare o vendiere, por aquel buey pagará cinco bueyes, y por aquella oveja cuatro ovejas."* Estas leyes realmente eran puestas en práctica, esto lo podemos ver, entre otros, en el relato de Zaqueo en el Nuevo Testamento: *"Entonces Zaqueo, puesto en pie, dijo al Señor: He aquí, Señor, la mitad de mis bienes doy a los pobres; y si en algo he defraudado a alguno, se lo devuelvo cuadruplicado"* (Lucas 19:8).

"No hurtarás"

Con esta actitud, Zaqueo también permitió ver algo de la esencia gloriosa del Nuevo Pacto. Pues, además de lo estipulado por la ley, él estaba dispuesto a entregar la mitad de sus bienes a los pobres. O sea, que actuaba en relación al alto nivel espiritual del Nuevo Pacto. Este ya no nos exige algo medido, sino que libremente hacemos y damos lo que podemos. Con esto, hacemos mucho más que lo que el Antiguo Testamento hubiese exigido de nosotros.

La pena que se le daba a un ladrón en el Antiguo Pacto, teniendo que reponer varias veces el objeto robado, era una pena muy suave. Mucho más dramáticas son las medidas que se conocen de los países islámicos. Aún hoy puede suceder que a un ladrón se le corte la mano derecha. O pensemos en los horribles castigos para los ladrones en la Europa medieval, donde el ladrón que había sido capturado debía soportar cosas terribles...

Como ya se ha dicho al comienzo, en el Antiguo Pacto únicamente había un caso de hurto que era castigado con la muerte:

El hurto de personas

Para expresarlo en términos modernos: Hacer rehenes, o bien secuestrar a una persona para obtener una recompensa, o para presionar la liberación de un camarada detenido.

Hoy en día, una y otra vez, se secuestran personas para obtener de esta manera la mayor cantidad de dinero posible. Hace unos tres años, en los periódicos se pudo leer acerca de la espantosa muerte del soldado alemán Mathías Hintze. Este hombre joven, literalmente, tuvo que morir de hambre y de

sed, en un mugriento pozo en la tierra, porque un
par de personas - en este caso eran rusos - querían
recibir una gran cantidad de dinero. Y eso que los
padres de este joven no pertenecían a las familias
más pudientes del país. Pero los secuestradores rusos creían que sí lo eran y, por eso, Mathías Hintze tuvo que morir.

Este tipo de hurto, el secuestro de una persona
por pura codicia, en el Antiguo Testamento era cas-

*"Cuando alguno hurtare buey u oveja, y lo degollare o vendiere,
por aquel buey pagará cinco bueyes, y por aquella oveja cuatro
ovejas"*

tigado con la muerte. Con respecto a esto, en Deuteronomio 24:7 leemos lo siguiente: *"Cuando fuere hallado alguno que hubiere hurtado a uno de sus hermanos los hijos de Israel, y le hubiere esclavizado, o le hubiere vendido, morirá el tal ladrón, y quitarás el mal de en medio de ti."*

El hurto - un delito directo contra Dios

En el Antiguo Pacto, el pecado del hurto se reconocía como aquello que en definitiva es: Un delito directo contra el Señor. Debido a eso, el sabio Agur oraba: *"Vanidad y palabra mentirosa aparta de mí; no me des pobreza ni riquezas; manténme del pan necesario; No sea que me sacie, y te niegue, y diga: ¿Quién es Jehová? O que siendo pobre, hurte, y blasfeme el nombre de mi Dios"* (Proverbios 30:8-9). Este hombre reconoció, claramente, que él, como parte del pueblo de Dios, a través del hurto, en primer término estaría blasfemando el nombre de Dios.

En el Antiguo Pacto, también era culpable el cómplice del hurto. Leemos en Proverbios 29:24: *"El cómplice del ladrón aborrece su propia alma..."* Hasta aquí en lo que respecta al tema del hurto en el Antiguo Testamento.

¿Que es lo que dice Jesús acerca de los ladrones y el hurto?

El no habló mucho acerca de ladrones. Sin embargo, es interesante que Jesús menciona al primer ladrón que estuvo haciendo de las suyas sobre la

Tierra: *"El ladrón no viene sino para hurtar y matar y destruir; yo he venido para que tengan vida,
y para que la tengan en abundancia"* (Juan 10:10).
Antes de esto, había dicho: *"Todos los que antes de
mí vinieron, ladrones son y salteadores..."* (v. 8). Es
obvio que aquí se está refiriendo a Satanás, su gran
oponente. Este fue el primer ladrón; el primero que
hurtó sobre este mundo. Pues, en el momento en
que la serpiente le dijo a Eva: *"No moriréis; sino
que sabe Dios que el día que comáis de él, serán
abiertos vuestros ojos, y seréis como Dios, sabiendo
el bien y el mal"* (Génesis 3:4-5), se produjo el primer hurto. Por primera vez en este mundo, se robó el corazón de dos personas.

Otra afirmación importante del Señor la encontramos en Mateo 6:19: *"No os hagáis tesoros en la
tierra, donde la polilla y el orín corrompen, y donde ladrones minan y hurtan."* Aquí no se trata de
condenar a los ladrones, ni de una advertencia de
quitarle cosas al prójimo, sino que se trata de la
protección contra el hurto.

¿Cuál es, entonces, la receta del Señor contra los
hurtos? No hacerse ningún tesoro ni riquezas aquí
en la Tierra porque, en general, los ladrones van a
entrar allí donde haya dinero en efectivo, joyas, y
otro tipo de cosas valiosas. O sea que, entre otras
cosas, uno se puede guardar de los ladrones confor-
mándose con lo que ya tiene y no procurando amon-
tonar tesoros.

¿Qué pasa si el Señor ha hecho responsable a un
hijo de Dios sobre muchos bienes, o si, de repente,
a través de una herencia, recibe mucha riqueza? Entonces éste se deberá comportar de la manera como
se describe en el Salmo 62:10: *"Si se aumentan las
riquezas, no pongáis el corazón en ellas."*

¿Debe un cristiano atender al octavo mandamiento?

Dicho de otra manera: ¿Qué tiene que ver un cristiano, que ha vuelto a nacer, con el mandamiento *"No hurtarás"*? Recién podremos contestar correctamente si, con esta otra pregunta, adquirimos mayor claridad: ¿Un cristiano que ha vuelto a nacer, puede o no ser un ladrón? Si debemos contestar esta pregunta con un sí, entonces este octavo mandamiento es sumamente necesario para un hijo de Dios. Pero si debemos contestar esta pregunta con un no, este mandamiento *"No hurtarás"* estaría de más para un hijo de Dios.

Nos guste o no, según la Palabra de Dios, cada cristiano renacido es propenso a cometer cualquier tipo de pecado. Alguno, tal vez, se pueda preguntar: ¿Un verdadero hijo de Dios realmente está en la condición de entrar a un supermercado y, conscientemente, llevarse algo sin pagar su precio? Claro que nos gustaría responder con un no. Pero, lamentablemente, debemos tomar conciencia que también entre los cristianos existen cosas que nunca hubiésemos creído posibles.

A continuación quisiera hablar acerca de un hurto poco normal, para demostrar que esto también puede ocurrir entre los cristianos. Tomemos como ejemplo un acontecimiento bíblico del segundo libro de Samuel: *"Y se levantaba Absalón de mañana, y se ponía a un lado del camino junto a la puerta; y a cualquiera que tenía pleito y venía al rey a juicio, Absalón le llamaba y le decía: ¿De qué ciudad eres? Y él respondía: Tu siervo es de una de las tribus de Israel. Entonces Absalón le decía: Mira, tus palabras son buenas y justas; mas no tienes quien te oiga de parte del rey. Y decía Absalón: ¡Quién me pusiera por juez en la tierra, para que viniesen a mí todos los que tienen pleito o ne-*

gocio, que yo les haría justicia! Y acontecía que cuando alguno se acercaba para inclinarse a él, él extendía la mano y lo tomaba, y lo besaba. De esta manera hacía con todos los israelitas que venían al rey a juicio; y así robaba Absalón el corazón de los de Israel" (2 Samuel 15:2-6).

Según la Sagrada Escritura, el rey David es considerado un hombre que, de manera magnífica, hace alusión a Cristo. Sí, él es una imagen profética del Hijo de Dios. Absalón atrajo a las personas, alejándolas de su padre David, para ganarlas para sí mismo. Con esto, hizo alusión a una triste realidad dentro de la Iglesia de Jesús, puesto que allí, una y otra vez, se produce un hurto tal como el que Absalón había cometido: *"así robaba Absalón el corazón de los de Israel."*

Para identificar este hurto, que a menudo ocurre, tristemente, en la Iglesia de Jesús, quiero que nos concentremos en dos pasajes bíblicos:

• *"siendo manifiesto que sois carta de Cristo..."* (2 Corintios 3:3).

• *"Porque para Dios somos grato olor de Cristo "* (2 Corintios 2:15).

Ambas propiedades describen a un hijo de Dios: Primeramente, debe ser: *"carta de Cristo"* y, en segundo lugar, *"grato olor de Cristo"*. Si como cristianos renacidos, realmente lo somos, entonces cumplimos con una de las obligaciones más importantes de un cristiano. ¡Dirigiremos las miradas hacia Cristo! Pero, si nos colocamos a nosotros mismos en primer plano, en tanto que sobrevaloramos nuestros hechos, atraeremos los corazones de las personas hacia nosotros en vez de hacia Jesús. Por eso, Pablo pronuncia la advertencia: *"Digo, pues, por la gracia que me es dada, a cada cual que está entre vosotros, que no tenga más alto concepto de sí que el que debe tener, sino que pien-*

se de sí con cordura, conforme a la medida de fe que Dios repartió a cada uno" (Romanos 12:3). Cada vez que tenemos un concepto demasiado alto de nosotros mismos, o que queremos ser más de lo que en realidad somos, buscamos nuestra propia gloria y no somos una *"carta de Cristo"* ni un *"grato olor de Cristo"*. Yo, por ejemplo, me puedo hacer el santo y devoto cuando, en realidad, soy justamente lo contrario. Si hay personas a las que logro engañar con eso, entonces le he robado al Señor los corazones de tales personas. ¡En ese momento, estarán prendidos de mí y no poniendo su mirada en el Señor!

Es por eso, que deberíamos aferrar a nuestro corazón dos declaraciones de Jesús. Ambas dicen lo mismo:

• *"... Mas entre vosotros no será así, sino que el que quiera hacerse grande entre vosotros será vuestro servidor"* (Mateo 20:26).

• *"El que es el mayor de vosotros, sea vuestro siervo"* (Mateo 23:11).

Si poseemos tal concepción de servicio, es imposible que encaucemos los corazones hacia nosotros hurtándolos, de esa manera, al Señor. Entonces, seremos realmente de aquellos que son *"carta de Cristo"* y *"grato olor de Cristo"*, quienes dirigen las miradas de las personas hacia Jesús. Eso lo comprendió y lo testificó Pablo: *"Por lo cual, siendo libre de todos, me he hecho siervo de todos para ganar a mayor número"* (1 Corintios 9:19).

Absalón hizo exactamente lo contrario: Él mismo quería ser el rey y no estar al servicio de éste. Por eso, se hizo querer entre el pueblo, a pesar de que, interiormente, pensaba diferente. Con esto, robó el corazón de muchos israelitas que querían ir con su padre, con el rey David.

Pablo, por el contrario, se presentaba ante las personas con absoluta humildad y negándose a sí mismo. De esta manera, ganó a muchos para su Rey Jesucristo. También Juan el Bautista tenía esta gran pasión: *"El siguiente día otra vez estaba Juan, y dos de sus discípulos. Y mirando a Jesús que andaba por allí, dijo: He aquí el Cordero de Dios. Le oyeron hablar los dos discípulos, y siguieron a Jesús"* (Juan 1:35-37). Juan, en aquel momento, debe haber señalado con tanta convicción a Cristo, que dos de sus propios discípulos le abandonaron inmediatamente para seguir a Jesús. Si no hubiese pronunciado estas palabras, con respecto a Jesús, seguramente sus discípulos hubiesen permanecido con él. Pero con eso le hubiese robado al Señor dos corazones, que estaban destinados a seguir a Cristo.

¡Preocupémonos de que las personas, a través de nuestro andar por la vida y por todo lo que somos y hacemos, fijen la atención en Jesucristo! Si como cristianos renacidos no hacemos esto, no somos mejores que Absalón. Recordemos: Cada vez que nos sobrestimamos y nos mostramos mejores de lo que somos, dirigimos el corazón de las personas hacia nosotros. Esto también ocurre aunque sólo sea por un instante. Pero si nosotros, en el poder de nuestro Señor resucitado, conseguimos la victoria sobre nosotros mismos, dirigiremos las miradas y corazones hacia Jesucristo.

¿A quién le pertenece nuestro tiempo?

En el Salmo 31:15 leemos las tan significativas palabras: *"En tu mano están mis tiempos."* En esta declaración tan maravillosa, se han regocijado y fortalecido muchos enfermos, ancianos o amedrentados. Es una palabra que otorga consuelo y que significa, nada menos, que una persona, por más penosa que sea su situación, puede descansar confiadamente en las manos del Señor.

Uno puede saber que, pase lo que pase, la ruta de nuestra vida está calculada y trazada con precisión por nuestro Dios. ¡Nada puede suceder que Él, de antemano, no haya determinado!

"¡No tengo tiempo!" ¡Qué seguido pronunciamos también nosotros estas palabras! Pero cada vez que como cristianos renacidos expresamos: "¡No tengo tiempo!", es completamente cierto. ¿Por qué? Porque nosotros, de hecho, no tenemos, o bien no poseemos, ningún tiempo.

Prestemos atención a la declaración literal del Salmo citado. ¿A qué se refiere en la práctica *"En tu mano están mis tiempos"*? Con relación a esto, pensemos en la frase: "¡No tengo tiempo!" ¡Qué seguido pronunciamos, también nosotros, estas palabras! Pero, cada vez que como cristianos renacidos expresamos: "¡No tengo tiempo!", es completamente cierto. ¿Por qué? Porque *nosotros*, de hecho, no tenemos, o bien no poseemos, ningún tiempo.

Todo nuestro tiempo pertenece al Señor. Es justamente eso lo que el Salmo nos quiere enseñar enfáticamente: *"En tu mano están mis tiempos"*. Aquí no sólo se dice que podemos estar tranquilos porque nuestro Salvador nos guarda en Su mano, sino que este versículo contiene el hecho de que toda nuestra vida y nuestro tiempo le pertenecen a Él.

Considera por un momento las palabras *"En tu mano están mis tiempos"* de manera que tú mismo ya no tengas ningún derecho sobre tu tiempo, sino únicamente el Señor. Cuando, realmente, tomes conciencia de ello, probablemente llegues a la terrible conclusión que en cuanto a tu tiempo que, en realidad, le pertenece al Señor, ya varias veces te has convertido en un ladrón. Sí, ¡cuántas veces has hurtado al Señor, al quitar ilegalmente Su tiempo!

¿Qué significa, en la práctica, que tú ya no dispones del derecho sobre tu tiempo, sino únicamente el Señor? ¿Significa que, atemorizado, deberás en todo momento - también en tu tiempo libre - hablar sólo del Señor o leer la Biblia? ¡De ninguna manera! Si este fuese el significado más profundo de esta verdad, todos deberíamos vivir bajo una ley muy estricta y estaríamos en peores condiciones que cualquier monje detrás de las anchas paredes de un monasterio. Pero, no es éste el sentido.

El derecho absoluto del Señor de disponer de mi tiempo, antes bien, significa que yo le regalo mi *mejor* tiempo que a diario dispongo. Tú te puedes concentrar de todo corazón en tu trabajo diario, utilizando en él mucho tiempo. Tú puedes tener tu tiempo libre, durante el cual puedes hacer cosas agradables. Además de eso, te puedes tomar por año una licencia de dos, tres o más semanas. Pero de todo este tiempo que te corresponde, debes dar, primeramente, *lo mejor* para el Señor! Por eso, recuerda reservar cada día un tiempo especial para tener un encuentro con Jesucristo. Presta atención a lo que te quiere decir a través de Su Palabra. Entonces, también podrás hablar con El acerca de todo lo que te angustia y lo que te da alegría. Resumiendo: ¡Preocúpate en tener diariamente un "tiempo de reflexión", tu "devocional" y que éste sea el mejor tiempo del día!

¿Cuál es el *mejor* tiempo?

¡Cuántos mal entendidos y conceptos equivocados suscita esta pregunta! Pues, la opinión general de cuál sea el tiempo más apropiado para el encuentro con el Señor, es: A las cuatro de la madrugada, a más tardar a las cinco. Si tú, querido lector, eres una persona que se levanta temprano, entonces, sin duda, ésta sería para ti la mejor hora para buscar al Señor. Pero si tú eres más del tipo gruñón por las mañanas, para quien es un terrible sacrificio salir de la cama a las cuatro o cinco de la mañana para tener tu devocional (porque lo has leído en algún libro), ¿de qué te sirve? ¿Acaso crees que alegras al Señor cuando a duras penas sales de tu cama para, finalmente, leer Su Palabra estando aún totalmente embriagado por el sueño? - sin mencionar el "enorme poder de la oración" que pueda brotar de ti.

Por eso, cuestiónate hoy y ahora la siguiente pregunta concreta: ¿Cuál es *mi* mejor tiempo para encontrarme con el Señor? Seguramente no es el tiempo que algún misionero o predicador menciona en un libro, cuando se refiere a su devocional personal.

¿Sabes cuándo es *tu* mejor tiempo? En el momento en que tengas más tranquilidad y te puedas concentrar mejor. Cuando uno menos pueda ser distraído y cuando ya no haya nada que se pueda interponer entre tú y tu Señor. ¡Ese es *tu* mejor tiempo! Concretamente, ¿cuál es este tiempo para ti?

¿Cuándo tuvo su "devocional" el eunuco de Etiopía? Leemos: *"Y sucedió que un etíope, eunuco, funcionario de Candace reina de los etíopes, el cual estaba sobre todos sus tesoros, y había venido a Jerusalén para adorar, volvía sentado en su carro, y leyendo al profeta Isaías"* (Hechos 8:27-28). ¡O sea que este hombre estaba haciendo su devocional sentado en su carro, mientras que los caballos avanzaban a todo galope! ¿Por qué? Porque para él éste era el tiempo en el cual estaba tranquilo y en el cual se podía concentrar. Era el momento en que menos se distraía; sencillamente para este eunuco era el mejor tiempo para hacer su devocional.

Yo conozco hermanos que están mucho de viaje. Para ellos, es justamente ése el mejor tiempo para encontrarse con el Señor. Escuchan un cassette con una predicación, oran y cantan en voz alta (nadie los escucha) y, de esa manera, tienen una hermosa hora junto a Jesús. También sé de hermanas en la fe que escuchan nuestros cassettes mientras están planchando. Durante este tiempo tienen una hermosa comunión con él. Otras, por el contrario, especialmente madres, disfrutan de bendecidas horas durante sus quehaceres en la cocina.

"En tu mano están mis tiempos"

¿Comprendes lo que quiero decir con esto? Realmente, el tiempo en el cual busques a Dios debe ser el *mejor* tiempo, para que él también llegue a ejercer su derecho.

¡¿Cuántas veces ya le has robado a Dios tu mejor tiempo y te has hecho culpable ante El?!

¿Cuánto tiempo debe durar el "devocional"?

A veces también con respecto a esto existen las opiniones más absurdas. De manera, que uno sostiene que deben ser tres horas de "devocional", otro que deben ser dos horas, mientras que otro queda satisfecho con diez minutos.

Cuando a mi querido padre, Wim Malgo, quien ya está con el Señor, sus alumnos de Biblia le preguntaron cuánto tiempo dedicaba a su "devocional" diario, él contestó: "¡Hasta haber encontrado al Señor!" Una clara y magnífica respuesta.

La constancia en el "devocional"

No importa *en qué momento* del día tengas tu "devocional", pero es importante "que" seas constante. Se dice del profeta Daniel: *"Cuando Daniel supo que el edicto había sido firmado, entró en su casa, y abiertas las ventanas de su cámara que daban hacia Jerusalén, se arrodillaba tres veces al día, y oraba y daba gracias delante de su Dios, como lo solía hacer antes"* (Daniel 6:10). Aquí no se especifica cuándo eran las tres veces que Daniel se arrodillaba, pero sí de que lo hacía tres veces por día. Daniel reservaba cada día un tiempo determinado para el encuentro con su amado Señor. La constancia no consistía en que tal vez oraba siempre a la misma hora, sino que lo llevaba a cabo diariamente. O sea que no transcurría un día, en el cual Daniel no consagrara un determinado momento para el Señor.

¡Qué ningún día comience sin Jesús!

A pesar de que, básicamente, no influye en qué momento del día hagamos nuestro "devocional", sin embargo, es vital que cada día comencemos con el Señor. ¡En la vida de cada hijo de Dios este debe ser un convenio tácito: que ningún día comience sin antes haber tenido un encuentro con Jesucristo!

Si de todos modos, en algún momento del día se va a tener el "devocional", entonces este primer encuentro no necesita ser largo. Pero, sin falta, tiene que ser la primera tarea de la mañana. ¡O sea que para ir al trabajo, no subas de mañana a tu carro, sin antes haber tenido un encuentro con el Señor!

El salmista dice: *"Oh Jehová, de mañana oirás mi voz; de mañana me presentaré delante de ti, y esperaré"* (Salmo 5:3). Aquí no se dan mayores detalles acerca del tiempo, pero, sin duda, se declara con esto que lo primero que el salmista hacía por las mañanas era encontrarse con el Señor.

"El que hurtaba, no hurte más..."

¿Con respecto a nuestro "devocional", le hemos hurtado al Señor? ¡¿No es justamente por eso que el octavo mandamiento *"no hurtarás"* es para nosotros más actual que nunca?! ¿Pero qué pasa si te das cuenta ahora de que en más de una oportunidad has caído en este pecado contra el Señor? El apóstol Pablo dirigió las siguientes palabras a quienes en un momento fueron ladrones: *"El que hurtaba, no hurte más..."* (Efesios 4:28). ¡Empieza de nuevo! Es lo que el Señor te dice hoy a través de estas palabras, a ti que le has robado en lo que respecta a Su tiempo. ¡Dios tenga mucha misericordia de ti en este nuevo comienzo!

El Cristiano y el Noveno Mandamiento

"No hablarás contra tu prójimo falso testimonio" (Exodo 20:16).

¿Qué nos quieren decir estas palabras y qué significan para nosotros? ¿De qué manera las deben tomar los creyentes del nuevo pacto?

Antes que nos detengamos en estas preguntas, quiero transmitir simplemente aquello que se nos dice en la Biblia acerca de *"hablar contra tu prójimo falso testimonio"*:

- ¿De qué manera cataloga la Sagrada Escritura a las personas que infringen el noveno mandamiento? Encontramos una respuesta en Proverbios 10:18: *"...el que propaga calumnia es necio."*

- ¿Con qué se compara la fuerza destructora que emana de un falso testimonio? La respuesta también la encontramos en Proverbios: *"Martillo y cuchillo y saeta aguda es el hombre que habla contra su prójimo falso testimonio"* (Proverbios 25:18).

- Y las consecuencias con las que se debe contar en un falso testimonio, las encontramos en Proverbios 19:9: *"El testigo falso no quedará sin castigo, y el que habla mentiras perecerá."*

Estas tres cortas expresiones bíblicas caracterizan, de manera muy clara, el carácter destructivo del *"hablar contra tu prójimo falso testimonio"*.

De falsos rumores y difamaciones

El que habla falso testimonio contra su prójimo lo está difamando. O dicho de otra manera: está esparciendo un rumor malo acerca de él. Por eso se nos ordena en Exodo 23:1: *"No admitirás falso rumor..."*

Jesucristo tuvo que sufrir mucho debido a las falsas acusaciones. Por ejemplo, de la ocasión en que tuvo que responder ante el concilio, leemos: *"Porque muchos decían falso testimonio contra él, mas sus testimonios no concordaban. Entonces levantándose unos, dieron falso testimonio contra él, diciendo: Nosotros le hemos oído decir: Yo derribaré este templo hecho a mano, y en tres días edificaré otro hecho sin mano. Pero ni aun así concordaban en el testimonio"* (Marcos 14:56-59). A pesar de que sabemos que el Señor Jesús murió por nuestros pecados, debemos reconocer objetivamente que, en definitiva, también fue condenado debido a los falsos testimonios. Sí, consecuencias tan tremendas puede acarrear el falso testimonio contra el prójimo.

Esto también lo experimentó amargamente José, cuando estaba en Egipto. Después de que la esposa de Potifar trató de seducirlo, sujetándolo de sus ropas, sólo logró escapar porque dejó que las ropas le fuesen arrancadas (Génesis 39:11-12). Ella lo difamó porque no obtuvo lo que quiso de él: *"Y ella puso junto a sí la ropa de José, hasta que vino su señor a su casa. Entonces le habló ella las mismas palabras, diciendo: El siervo hebreo que nos trajiste, vino a mí para deshonrarme. Y cuando yo alcé mi voz y grité, él dejó su ropa junto a mí y huyó fuera. Y sucedió que cuando oyó el amo de José las palabras que su mujer le hablaba, diciendo: Así me ha tratado tu siervo, se encendió su furor. Y tomó su amo a José, y lo puso en la cárcel, donde estaban los presos del rey, y estuvo allí en la cár-*

"Martillo y cuchillo y saeta aguda es el hombre que habla contra su prójimo falso testimonio"

cel." (versículos 16-20). ¡Debido a este falso testimonio, José fue echado a la cárcel!

Pero estos sucesos tan tristes no ocurrían tan sólo en el gris pasado. No, aún ocurren hoy en día y, con demasiada frecuencia, especialmente allí donde los cristianos son perseguidos. Cuántos cristianos hay que sufren gran necesidad en campos de trabajo, o en cárceles, debido a difamaciones o a falsos testimonios.

Lo que José experimentó literalmente, también se puede dar, en el sentido espiritual, cuando, por ejemplo, un hermano en la fe propaga sobre otro un rumor falso, ocasionándole a éste grandes dificultades. Una persona que es difamada y acusada falsamente, puede llegar a tener problemas internos tan grandes, que realmente se puede llegar a sentir como dentro de una cárcel. ¿No testifican también los Salmos acerca de esto, con palabras muy conmovedoras? David estando en una necesidad así, una vez dijo: *"No me entregues a la voluntad de mis enemigos; porque se han levantado contra mí testigos falsos, y los que respiran crueldad"* (Salmo 27:12). En el Salmo 120:2 hasta llegamos a escuchar las súplicas del salmista: *"Libra mi alma, oh Jehová, del labio mentiroso, y de la lengua fraudulenta."* Estas palabras indican claramente una "prisión interior" a la que el salmista llegó debido a difamaciones y falsos testimonios.

¡No deberíamos subestimar este pecado de *"hablar contra tu prójimo falso testimonio"*, puesto que puede llevar a las personas, realmente, a una muy profunda desesperación! Seguramente Pablo por este motivo, también, escribió a los creyentes: *"Por lo cual, desechando la mentira, hablad verdad cada uno con su prójimo; porque somos miembros los unos de los otros"* (Efesios 4:25). El apóstol sabía muy bien lo que estaba diciendo cuando les escribió estas palabras. Pues si

hubo una persona sobre la cual se dijeron gran cantidad de "falsos testimonios", entonces esta persona fue
el apóstol Pablo.

**¡No deberíamos subestimar este pecado de "hablar contra tu pró-
jimo falso testimonio", puesto que puede llevar a las personas,
realmente, a una muy profunda desesperación!**

Es tan fácil que caigamos en decir algo que no sea *completamente* verdad. ¿Somos culpables también nosotros de haber contribuido a divulgar un rumor falso? Si es así, arrepintámonos ante el Señor y tratemos, dentro de lo posible, de solucionar el asunto también con las personas implicadas. ¡Atesoremos en nuestros corazones las palabras anteriormente citadas de Efesios 4:25 y cumplámoslas con rectitud!

¿Qué debemos hacer si somos nosotros las víctimas de una difamación?

También en este caso la Palabra de Dios nos indica cuál es la única manera en que debemos actuar. En la primer epístola de Pedro leemos: *"sino santificad a Dios el Señor en vuestros corazones, y estad siempre preparados para presentar defensa con mansedumbre y reverencia ante todo el que os demande razón de la esperanza que hay en vosotros; teniendo buena conciencia, para que en lo que murmuran de vosotros como de malhechores, sean avergonzados los que calumnian vuestra buena conducta en Cristo"* (1 Pedro 3:15-16).

A pesar de que esta carta se escribió recién en el año 60-64 después de Cristo, el primer mártir cristiano había actuado justamente de esta manera. Esteban había sido difamado de la peor manera: *"Y (ellos) pusieron testigos falsos que decían: Este hombre no cesa de hablar palabras blasfemas contra este lugar santo y contra la ley"* (Hechos 6:13). Pero, a pesar de estas acusaciones masivas, permaneció apacible hasta su fin. ¿Por qué? Porque Esteban - así como nos lo enseña Pedro - santificó en lo profundo de su corazón al Señor Jesús, cosa que se dio a conocer claramente:

"Entonces todos los que estaban sentados en el concilio, al fijar los ojos en él, vieron su rostro como el rostro de un ángel" (versículo 15).

¡Preocupémonos en no caer en el pecado de la difamación! Y si nosotros mismos fuimos acusados falsamente, santifiquemos en nuestros corazones aún más al Señor y honrémosle únicamente a El!

Cuando se ignoran los buenos propósitos

Nahas, el rey de los hijos de Amón, bien intencionado para con el rey David, había muerto. Fue por eso que David le quiso hacer llegar a su hijo Hanún un mensaje de condolencia: *"Y dijo David: Yo haré misericordia con Hanún hijo de Nahas, como su padre la hizo conmigo. Y envió David sus siervos para consolarlo por su padre"* (2 Samuel 10:2a). Pero, la manera como ésta tan bien intencionada acción había sido revertida, debido a la difamación de falsos testimonios, e ignorada por Hanún, la observamos en los siguientes versículos: *"Mas llegados los siervos de David a la tierra de los hijos de Amón, los príncipes de los hijos de Amón dijeron a Hanún su señor: ¿Te parece que por honrar David a tu padre te ha enviado consoladores? ¿No ha enviado David sus siervos a ti para reconocer e inspeccionar la ciudad, para destruirla?"* (versículos 2b-3).

¡Qué dolido se debe haber sentido David al escuchar de los falsos testimonios de los príncipes de los hijos de Amón! Pues, con esta calumnia, su bien intencionada gestión fue desechada. En este caso, alcanzó el "hablar falso testimonio contra" David, para destruir muchas cosas buenas.

¿Qué pasa con nosotros los cristianos: Realmente somos capaces de cambiar la bien intencionada acción de nuestro prójimo en lo contrario, a través del falso testimonio? Tal vez lo hagamos más seguido de lo que creemos. ¿Pero cómo y de qué manera?

Para mayor comprensión veamos también, en este caso, un ejemplo bíblico: Cuando Ana (quien fuera más adelante la madre de Samuel) aún no tenía hijos, era una mujer muy amargada. Lloraba mucho y no llegaba a tener gozo, porque no había podido tener hijos. Cuando junto a su esposo Elcana volvió a viajar a Silo, lugar sagrado de aquel entonces, para llevar sacrificios al Señor, tuvo la oportunidad de desahogar ante el Señor su entristecido corazón: *"ella con amargura de alma oró a Jehová, y lloró abundantemente. E hizo voto, diciendo: Jehová de los ejércitos, si te dignares mirar a la aflicción de tu sierva, y te acordares de mí, y no te olvidares de tu sierva, sino que dieres a tu sierva un hijo varón, yo lo dedicaré a Jehová todos los días de su vida, y no pasará navaja sobre su cabeza"* (1 Samuel 1:10-11). ¡Qué oración tan conmovedora!

Pero, había alguien que observaba la oración y la súplica de esta mujer tan golpeada por las pruebas, era el sacerdote Elí. Dice de él: *"Mientras ella oraba largamente delante de Jehová, Elí estaba observando la boca de ella"* (versículo 12). Elí veía que los labios de Ana se movían, pero no podía entender nada. ¿Por qué? Porque Ana oraba sin que se percibiera su voz: *"Pero Ana hablaba en su corazón, y solamente se movían sus labios, y su voz no se oía"* (versículo 13a). Como el sacerdote Elí no podía comprender ni escuchar los sollozos y las palabras, pero sin falta quería esclarecer el asunto, llegó a una conclusión totalmente equivocada: *" y Elí la tuvo por ebria. Entonces le dijo Elí: ¿Hasta cuándo estarás ebria? Digiere tu vino"* (versículos 13b-14).

Imaginémonos esa situación: Hay una mujer orando entre sollozos; y un hombre, para peor un sacerdote, que no podía escuchar ni entender la oración, la acusa de ebria. ¿Qué sucedió, en ese momento, en Silo? Un sacerdote del Señor se hizo culpable del noveno mandamiento al juzgar, falsamente, a una mujer que estaba derramando su corazón ante Dios.

Ana se había postrado a tierra con la mejor intención y con un corazón recto, en Silo, en el lugar sagrado de Dios. Pero debido a que Elí la acusó de ebria, interrumpió ese momento sagrado.

¿Por qué dijo eso Elí? ¿La quiso lastimar y hacer doler a propósito? ¡Claro que no! Simplemente lo hizo porque no se podía explicar el comportamiento de esta mujer y quería, sea cual fuera el precio, llegar a la respuesta.

Justamente eso es lo que tantas veces, lamentablemente, sucede en la iglesia local de Cristo. Hay alguien que dice, hace o ora al Señor en una necesidad desconocida para otros (como Ana), que en sí es algo bueno y de ninguna manera despreciable, pero otros en la congregación no conocen los motivos de la persona en cuestión. Y en vez de dejar que la cosa quede ahí, no saben hacer nada mejor que criticar severamente. Con eso, conciente o inconcientemente, han infringido el mandamiento: *"No hablarás contra tu prójimo falso testimonio"*. ¡Cuánta pena y sufrimiento ya ha sobrevenido, de esta manera, a un hijo de Dios!

También nuestro Señor Jesucristo tuvo que experimentar esto aquí en la tierra, de una manera muy dolorosa. Pensemos únicamente en las conmovedores palabras: *"Desde entonces muchos de sus discípulos volvieron atrás, y ya no andaban con él"* (Juan 6:66). ¿Cómo se llegó a tal punto? Porque él les había dicho algo que para ellos, en principio, había sido inexplicable: *"Yo soy el pan vivo que descendió del cielo; si alguno comiere de este pan, vivirá para siempre; y el pan que yo daré es mi carne, la cual yo daré por la vida del mundo"* (versículo 51). En realidad, no es de sorprenderse que en aquel entonces aún no se comprendiera esta declaración. Pero en vez de dejar la cosa ahí, no supieron hacer nada mejor que discutir entre ellos y preguntar: *"¿Cómo puede éste darnos a comer su carne?"* (versículo 52). Jesús, en realidad, se los quería explicar, tan sólo un poco más tarde: *"El espíritu es el que da vida; la carne para nada aprovecha; las palabras que yo os he hablado son espíritu y son vida"* (versículo 63). También se podría formular de esta manera: *"*¡Ustedes deben tomar lo que les he dicho en forma espiritual, no intentando profundizar en ello con su entendimiento humano!" Pero, lamentablemente, ya era demasiado tarde; porque se habían apoyado de tal manera en su propio entendimiento carnal, que sólo pudieron hacer una cosa, abandonarlo. ¡Qué tragedia!

Hoy en día, a muchos de sus seguidores les sucede lo mismo. Por lo que, con buena intención, digan, hagan u oren, siempre se está dispuesto a criticarlos de la peor manera, y a juzgarlos. Y esto no es otra cosa que *"hablar contra tu prójimo falso testimonio"*, porque el hijo de Dios implicado es colocado, de esta manera, bajo una luz totalmente falsa. ¡Cuidémonos de hacer esto!

Cuando los culpables son declarados inocentes

"Hablar contra tu prójimo falso testimonio" también puede ser lo opuesto a ser difamado - cuando

a un culpable se le declara inocente. También con esto estamos dando un falso testimonio acerca de una persona.

Seguramente, alguno se estará preguntando: "¿Eso realmente existe entre los cristianos, que los culpables sean declarados inocentes?" Al menos, la Biblia nos advierte en cuanto a esto en Exodo 23:1: *"No admitirás falso rumor. No te concertarás con el impío para ser testigo falso"* (Versión Reina Valera) *"No des informes falsos, ni te hagas cómplice del malvado para ser testigo en favor de una injusticia"* (Versión Dios habla hoy).

Con esto, se demuestra, claramente, que este tipo de falso testimonio también está vinculado con el noveno mandamiento que, hoy en día, precisamente, es infringido muchas veces de esta manera.

Antes de considerar en profundidad este tema, queremos presentar primeramente un ejemplo bíblico: Barrabás, quien estaba en la prisión por sedicioso y asesino, fue liberado en lugar de Jesucristo quien, en realidad, era inocente. En aquel momento en que la muchedumbre estaba ante Pilato, gritando en cuanto a Jesús: *"fuera con éste, y suéltanos a Barrabás!"* (Lucas 23:18), "concertó con el impío" y, con esto, dio de él un falso testimonio.

¿Cómo se ve esto en cuanto a los cristianos hoy en día: Dónde y cuándo pecamos, en este sentido, contra el noveno mandamiento? En cuanto a esto, cito un ejemplo de mi patria: Durante nuestros años de servicio en Holanda, mi esposa Rita y yo entablamos contacto con una mujer joven que, en algún momento de su vida, tomó una decisión por Cristo. Pero, entonces, cayó en pecado, al juntarse con un hombre y vivir con él una alocada relación. Un día le dijo a mi esposa Rita: "En nuestra congregación hubo Santa

Cena, pero a pesar de que los ancianos sabían acerca de mi estilo de vida actual, me permitieron participar de los símbolos." Esta mujer estaba visiblemente emocionada cuando contaba esto. De alguna manera, esperaba que los ancianos le prohibieran participar de la Santa Cena.

Este es un ejemplo aterrador, y nos lleva a pensar. Por eso, queremos profundizar en el tema y preguntarnos: ¿Que sucedió en aquella congregación durante la celebración de la Santa Cena? La respuesta es muy seria, pues lo que sucedió fue una infracción directa contra el noveno mandamiento. A esta mujer culpable, se le brindó apoyo y, con esto, se dio un falso testimonio de ella. Con esta mujer, que se desvió del camino, no se realizó la tarea de exhortarla y amonestarla en amor. Pero, al haberle permitido participar de la Santa Cena, se dio testimonio de ella como de una cristiana íntegra, cosa que, en realidad, no era.

Hoy en día, esta manera de "hablar falso testimonio" está ampliamente difundida. Nunca antes, en las congregaciones cristianas, lo malo se nombró tan poco por su nombre, y nunca antes lo malo fue alejado tan poco de las iglesias como hoy en día. ¿Por qué sucede esto? La respuesta se encuentra en que hoy en día muchos predicadores y ancianos le rehuyen a nombrar abiertamente, en la congregación, a un pecado por su nombre, y a alejarlo de ella. Pero, también, los mismos miembros de la iglesia se inclinan hoy, más que nunca, a ser tolerantes, de manera incorrecta, con respecto a otros hermanos, y a ya no nombrar al pecado por su nombre, sino que prefieren callarlo. Se sabe que tal o cual miembro está viviendo en un determinado pecado. Pero ya no se dice nada al respecto, ni mucho menos se amonesta, sino que todo es tapado con el, así llamado, manto de amor. Esto también es "hablar falso testimonio", "concertar con el impío", o difundir un falso rumor.

¡Cuánto aconsejó nuestro Señor Jesucristo que nos opusiéramos al mal y que lo apartáramos!, también si esto implicaba enfrentarnos a un hermano o a una hermana: *"Por tanto, si tu hermano peca contra ti, vé y repréndele estando tú y él solos; si te oyere, has ganado a tu hermano. Mas si no te oyere, toma aún contigo a uno o dos, para que en boca de dos o tres testigos conste toda palabra. Si no los oyere a ellos, dilo a la iglesia; y si no oyere a la iglesia, tenle por gentil y publicano"* (Mateo 18:15-17).

Esta es una clara instrucción de nuestro Señor, que ya no es apreciada y que hoy, lamentablemente, se aplica en la minoría de los casos. El apóstol Pablo actuó de manera diferente. Leemos de él, que cuando oyó acerca de un hecho muy grave por parte de los corintios, no se intimidó en nombrar abiertamente este pecado en su carta y en juzgarlo: *"De cierto se oye que hay entre vosotros fornicación, y tal fornicación cual ni aun se nombra entre los gentiles; tanto que alguno tiene la mujer de su padre. Y vosotros estáis envanecidos. ¿No debierais más bien haberos lamentado, para que fuese quitado de en medio de vosotros el que cometió tal acción? Ciertamente yo... ya... he juzgado al que tal cosa ha hecho... el tal sea entregado a Satanás para destrucción de la carne, a fin de que el espíritu sea salvo en el día del Señor Jesús."* (1 Corintios 5:1-3.5). Aquí no se trata de que veamos la autoridad apostólica, de que alguien sea entregado a Satanás, sino, antes bien, de la realidad de que Pablo destapó el mal *sin miramientos*. Para él no existían los compromisos. Allí donde veía anomalías, no se intimidaba en atacarlas radicalmente. A Timoteo, por ejemplo, le escribió: *"Este mandamiento, hi-*

jo Timoteo, te encargo, para que conforme a las profecías que se hicieron antes en cuanto a ti, milites por ellas la buena milicia, manteniendo la fe y buena conciencia, desechando la cual naufragaron en cuanto a la fe algunos, de los cuales son Himeneo y Alejandro, a quienes entregué a Satanás para que aprendan a no blasfemar" (1 Timoteo 1:18-20). A la congregación de Corinto le escribió: *"Más bien os escribí que no os juntéis con ninguno que, llamándose hermano, fuere fornicario, o avaro, o idólatra, o maldiciente, o borracho, o ladrón; con el tal ni aun comáis"* (1 Corintios 5:11). Y a los tesalonicenses les llegó a aconsejar: *"Pero os ordenamos, hermanos, en el nombre de nuestro Señor Jesucristo, que os apartéis de todo hermano que ande desordenadamente, y no según la enseñanza que recibisteis de nosotros"* (2 Tesalonicenses 3:6).

Debemos preguntarnos seriamente: ¿En qué otro lugar se practica tal disciplina en la congregación? ¡¿No se da hoy, antes bien, el caso de que el noveno mandamiento es esquivado y transgredido, al "concertar con el impío" y convertirse en un "testigo falso"?!

Destrucción de la corona de la creación a través de un falso testimonio

Al preparar este tema, me hice la pregunta, por qué el Señor había incluido el noveno mandamiento: *"No hablarás contra tu prójimo falso testimonio"* dentro de los diez mandamientos. Según mi punto de vista, existe una clara y reveladora respuesta: El pecado del noveno mandamiento fue el factor detonante de que en el jardín del Edén se destruyera la coronación de la creación de Dios, el hombre.

¿Cómo fue que la serpiente antigua, el diablo, pudo engañar a Eva? Al dar un testimonio totalmente falso de Dios. Después de que le dijo a Eva: *"¿Conque Dios os ha dicho: No comáis de todo árbol del huerto? "* (Génesis 3:1), Eva le contestó: *"del fruto de los árboles del huerto podemos comer; pero del fruto del árbol que está en medio del huerto dijo Dios: No comeréis de él, ni le tocaréis, para que no muráis"* (vers. 2-3). Esta era precisamente la respuesta que la serpiente estaba esperando. Ahora procedería al ataque frontal, al decirle a Eva: *"no moriréis; sino que sabe Dios que el día que comáis de él, serán abiertos vuestros ojos, y seréis como Dios, sabiendo el bien y el mal"* (vers. 4-5). Con esto, le dio a entender a Eva que Dios, en cierta manera, tenía miedo a aquel momento en que comieran del árbol prohibido, porque entonces serían como Dios mismo. ¡La serpiente que el diablo utilizó como herramienta, dio un testimonio totalmente falso de Dios! Porque Dios, en cuanto a sí mismo, no tenía porqué temer el momento en que Eva comiera de la fruta prohibida. Antes bien se preocupaba por la corona de su creación, la cual se destruiría por esto. Porque él le había dicho al hombre: *"mas del árbol de la ciencia del bien y del mal no comerás; porque el día que de él comieres, ciertamente morirás"* (Génesis 2:17), y como él mismo no se puede contradecir, él, el justo y santo Dios, mantendría su Palabra.

Dios mismo tuvo que experimentar amargamente, en primer lugar, lo que significa que se provoque gran mal a través del "hablar falso testimonio". Según mi interpretación, fue por eso que Dios, en primer lugar, dio el noveno mandamiento contra el falso testimonio.

Aún hoy, el diablo sigue utilizando la táctica de "hablar falso testimonio". También con Job realizó su mala jugada. Cuando Dios sólo sabía informar cosas buenas acerca de este hombre piadoso, escuchamos las palabras del maligno

- *"Pero extiende ahora tu mano y toca todo lo que tiene, y verás si no blasfema contra ti en tu misma presencia"* (Job 1:11).

- *"Pero extiende ahora tu mano, y toca su hueso y su carne, y verás si no blasfema contra ti en tu misma presencia"* (Job 2:5).

Muy concientemente dio un falso testimonio de Job, quien nunca renunciaría a su Dios.

Como "padre de mentira" (Juan 8:44), el diablo, hoy en día, sigue utilizando este principio. En Apocalipsis 12:10 se dice de él: que día y noche está ante Dios acusando a los hijos de Dios. Entre otras cosas, también significa que habla falso testimonio de los creyentes. Pero gracias a Dios, no debemos preocuparnos por eso, el Señor Jesús dijo: *"Bienaventurados sois cuando por mi causa os vituperen y os persigan, y digan toda clase de mal contra vosotros, mintiendo"* (Mateo 5:11). Esto también vale con respecto al diablo: ¡Si él habla ante Dios "falso testimonio" contra nosotros (mintiendo), nos hace un gran favor! Pues, justamente, a través de sus difamaciones, podemos ser bienaventurados. Esto significa que por medio de este "falso testimonio" que dio el enemigo, sólo somos más acercados a Cristo; al igual que Job quien, a través de todos los vituperios de Satanás, llegó a una relación cada vez mas íntima con su Dios.

¡La Palabra de Dios es la verdad! El es fiel, y lo que dice en Romanos 8:28 tiene mucho valor: *"Y sabemos que a los que aman a Dios, todas las cosas les ayudan a bien, esto es, a los que conforme a su propósito son llamados."* Amén.

El Cristiano

y el Décimo Mandamiento

"No codiciarás la casa de tu prójimo, no codiciarás la mujer de tu prójimo, ni su siervo, ni su criada, ni su buey, ni su asno, ni cosa alguna de tu prójimo"
(Exodo 20:17)

Este mandamiento trata de dos prohibiciones, de dos pecados:

1. Uno no debe abalanzarse sobre las posesiones del prójimo para apoderarse de ellas.

2. Uno no debe codiciar, de ninguna manera, no debe entregarse a un deseo apasionado - pues esto es pecado!

Esta última forma de aplicar el décimo manda-miento, la encontramos en Romanos 7:7, cuando Pablo dice: *"porque tampoco conociera la codicia, si la ley no dijera: No codiciarás."* Pablo menciona aquí el décimo mandamiento. Pero no se refiere a la codicia hacia las cosas del prójimo, sino únicamente a la codicia perjudicial en general. Esto nos muestra que realmente el décimo mandamiento debe entenderse en este doble sentido: que no se deben codiciar las pertenencias del prójimo, ni tampoco caer, siquiera, en la codicia o el deseo maligno.

¿Cuál fue el motivo por el que Dios dio el décimo mandamiento y lo dejó documentar?

Porque a través de su mandato: *"No codiciarás..."* quiere proteger las pertenencias de nuestro prójimo, y porque nos quiere prevenir de todo deseo perjudicial. Encontramos otra respuesta a esta pregunta en Romanos 7:7: *"¿Qué diremos, pues? ¿La ley es pecado? En ninguna manera. Pero yo no conocí el pecado sino por la ley; porque tampoco conociera la codicia, si la ley no dijera: No codiciarás."* Según esta declaración de Pablo, el décimo mandamiento fue dado, en aquel entonces, a los israelitas y, hoy en día, también a nosotros, para que cataloguemos este tipo de codicia realmente como un pecado, tal como lo dice el décimo mandamiento. O sea, que lo realmente pecaminoso de la codicia recién fue revelado cuando Dios decretó la orden *"no codiciarás..."* Y tal como lo explica Pablo en Romanos 7:7, Dios se conduce así con todos los pecados.

Hoy en día, muchas veces surge la pregunta: ¿Qué tenemos que ver nosotros, los cristianos, con las leyes del Antiguo Testamento? Pues, a pesar de que no podamos cumplir la ley - entre otras cosas, también fue por eso que vino Jesucristo -, la ley, sin embargo, es la mejor ética o, bien, principio moral, que puede existir para el diario vivir del hombre. Si nosotros, los cris-

"Codician las heredades, y las roban; y casas, y las toman; oprimen al hombre y a su casa, al hombre y a su heredad"

tianos, estudiáramos y aceptáramos más estos principios dados por Dios, seguramente, en muchos de nosotros, se notaría la diferencia. Pero, como, en algunos lugares, tenemos la tendencia tan destructiva de pensar que la ley de la Sagrada Escritura ya es algo pasado de moda, algo que ya no tiene validez, también a nivel cristiano se ha llegado, en algunos lugares, a situaciones muy graves y caóticas.

No se habría llegado tan lejos si, a nivel cristiano, hubiese habido mayor sujeción a las *normativas* de la ley y que, con la ayuda del Señor, quien, en definitiva, es el cumplimiento de la ley, se hubiesen aplicado a la vida práctica.

La inminente importancia del décimo mandamiento

"No codiciarás la casa de tu prójimo... mujer, siervo, criada, buey, asno, ni cosa alguna de tu prójimo" Si observamos este mandamiento, en el contexto antiguotestamentario de la historia de Israel, vemos la enorme importancia de esta instrucción. Pues, a pesar de este mandamiento, Dios tuvo que deshacerse de la primera malformación, por ejemplo, a través de Isaías: *"¡Ay de los que juntan casa a casa, y añaden heredad a heredad hasta ocuparlo todo! ¿Habitaréis vosotros solos en medio de la tierra?"* (Isaías 5:8). A través de Ezequiel, fue dicho a los príncipes de Israel: *"Yo el Señor, digo: ¡Basta ya, gobernantes de Israel! ¡No más violencia ni explotación! ¡Actúen con justicia y rectitud! ¡Dejen de robarle tierras a mi pueblo! Yo, el Señor, lo ordeno"* (Ezequiel 45:9, versión Dios Habla Hoy). Igualmente Miqueas tuvo que decir de los gobernantes de aquel entonces: *"Codician las heredades,*

y las roban; y casas, y las toman; oprimen al hombre y a su casa, al hombre y a su heredad" (Miqueas 2:2). Vemos la enorme importancia, hasta podría decirse necesidad vital, que tuvo este mandamiento en aquel entonces.

Hoy en día no es distinto. Justamente, el pecado de la codicia festeja grandes triunfos, no sólo a nivel mundano sino a nivel cristiano - y esto nos debería llevar a reflexionar.

Faltas contra el décimo mandamiento

A continuación, queremos observar algunos pasajes bíblicos en los cuales, evidentemente, hubo una falta contra este *"no codiciarás..."* Prestemos especial atención a la forma en que se origina este tipo de pecado, pues hoy en día su origen no es diferente.

Leemos acerca de Eva, la mujer del primer hombre, Adán: *"Y vio la mujer que el árbol era bueno para comer, y que era agradable a los ojos, y árbol codiciable para alcanzar la sabiduría; y tomó de su fruto, y comió; y dio también a su marido, el cual comió así como ella"* (Génesis 3:6).

Por primera vez sobre la tierra, la codicia perjudicial echa raíces en una persona, puesto que Eva deseaba el árbol y su fruto. Este árbol, a excepción de los tantos otros del jardín, no había sido autorizado para ellos. Este árbol era una posesión personal de Dios, y él había establecido claramente su derecho de propiedad al decir: *"De todo árbol del huerto podrás comer; mas del árbol de la ciencia del bien y del mal no comerás; porque el día que de él comieres, ciertamente morirás"* (Génesis 2:16-17). De todas maneras, Eva fue arrastrada por la codicia, de manera que atentó contra la propiedad de Dios y comió del fruto de aquel árbol. Cuando Eva cedió a los malos deseos de su corazón, se infringió, por primera vez, el décimo mandamiento, como un negativo cumplimiento precursor, ya que, en ese entonces, aún no había tal mandamiento.

Otro ejemplo, en cuanto a los malos deseos o a la codicia, lo encontramos en 1a. Reyes 21:1-4: *"Pasadas estas cosas, aconteció que Nabot de Jezreel tenía allí una viña junto al palacio de Acab rey de Samaria. Y Acab habló a Nabot, diciendo: Dame tu viña para un huerto de legumbres, porque está cercana a mi casa, y yo te daré por ella otra viña mejor que ésta; o si mejor te pareciere, te pagaré su valor en dinero. Y Nabot respondió a Acab: Guárdeme Jehová de que yo te dé a ti*

"Nabot de Jezreel tenía allí una viña junto al palacio de Acab rey de Samaria"

la heredad de mis padres. Y vino Acab a su casa triste y enojado, por la palabra que Nabot de Jezreel le había respondido, diciendo: No te daré la heredad de mis padres. Y se acostó en su cama, y volvió su rostro, y no comió." El que conoce esta historia, sabe que Jezabel, la esposa impía de Acab, se encargó, de que Nabot fuera asesinado de manera brutal, de modo que Acab, en definitiva, resultó ser el dueño de aquel viñedo (véase vers. 5-15). Por eso, continúa diciendo: "*Y oyendo Acab que Nabot era muerto, se levantó para descender a la viña de Nabot de Jezreel, para tomar posesión de ella*" (vers. 16). Acab, sin falta, quería tener la viña de Nabot. Por eso, fue presa de una codicia tan salvaje, que estuvo de acuerdo con el asesinato de Nabot y tomó posesión de la viña. Así infringió, de la peor manera, el décimo mandamiento.

Otro ejemplo de codicia lo encontramos en la vida del rey David. Se trata, seguramente, de su peor caída. En 2 Samuel 11:1-4 leemos: "*Aconteció al año siguiente, en el tiempo que salen los reyes a la guerra, que David envió a Joab, y con él a sus siervos y a todo Israel, y destruyeron a los amonitas, y sitiaron a Rabá; pero David se quedó en Jerusalén. Y sucedió un día, al caer la tarde, que se levantó David de su lecho y se paseaba sobre el terrado de la casa real; y vio desde el terrado a una mujer que se estaba bañando, la cual era muy hermosa. Envió David a preguntar por aquella mujer, y le dijeron: Aquella es Betsabé hija de Eliam, mujer de Urías heteo. Y envió David mensajeros, y la tomó; y vino a él, y él durmió con ella. Luego ella se purificó de su inmundicia, y se volvió a su casa.*" Para encubrir el pecado de adulterio, David hasta mandó a matar a Urías, esposo de Betsabé (versículos 5-21). De esta manera, David se hizo culpable, de la peor manera, de infringir el décimo mandamiento.

Quedémonos con estos tres ejemplos, e investiguemos minuciosamente dónde se encuentra el origen de la transgresión contra el décimo mandamiento.

¿Cómo se llegó a estas transgresiones?

En cada uno de los tres ejemplos, la transgresión contra el décimo mandamiento comenzó por los ojos. En el caso de Eva leemos: *"Y **vio** la mujer que el árbol era bueno para comer, y que era agradable a los ojos, y árbol codiciable..."* (Génesis 3:6).

En cuanto a Acab, aunque no literalmente, dice que vio la viña de Nabot que estaba *"junto al palacio de Acab rey de Samaria."* Sin duda, Acab primeramente puso sus ojos sobre la viña, la codició y, luego, se apropió de ella a la fuerza.

Por último, leímos acerca de David: *"Y sucedió un día, al caer la tarde, que se levantó David de su lecho y se paseaba sobre el terrado de la casa real; y **vio** desde el terrado a una mujer que se estaba bañando, la cual era muy hermosa"* (2 Samuel 11:2).

Aquí nos confrontamos con la causa más frecuente de transgresión contra el décimo mandamiento. Hasta afirmaría que casi no existe ningún caso, en el cual el décimo mandamiento no haya sido infringido, sin que antes los ojos hubieran jugado un papel preponderante. Es evidente, porque si el décimo mandamiento dice: *"No codiciarás la casa de tu prójimo... mujer, siervo, criada, buey, asno, ni cosa alguna de tu prójimo"* entonces esta declaración comprende que estas cosas, primeramente, son codiciadas por el ojo.

Es imposible que yo codicie la casa de mi prójimo, sin que mi ojo antes la haya visto y la haya deseado. Y así, como ya se ha dicho, es con todas las transgresiones contra el décimo mandamiento:

- Un ladrón siempre va a robar aquello que su ojo, previamente, ha codiciado.

- El adúltero, adultera con aquella mujer a la cual, anteriormente, ha mirado lujuriosamente. Por eso, Pedro, en su segunda epístola, menciona a las personas que tienen *"los ojos llenos de adulterio"* (2 Pedro 2:14).

"Y vio la mujer que el árbol era bueno para comer, y que era agradable a los ojos, y árbol codiciable para alcanzar la sabiduría; y tomó de su fruto, y comió; y dio también a su marido, el cual comió así como ella"

• El hombre que se compra un automovil demasiado caro, por lo general, lo hace porque vio a otro que también lo hizo.

• La mujer, necesariamente, tiene que comprar, o hasta robar, tal o cual cosa, porque ha visto que su vecina la posee.

• Es por eso, que también los niños, de repente, quieren el calzado deportivo de marca Nike, porque les saltó a la vista que la mitad de la clase está usando esa marca.

• Un joven, de repente, se quiere volver camionero, porque ha visto el increíble semirremolque de un amigo... etc.

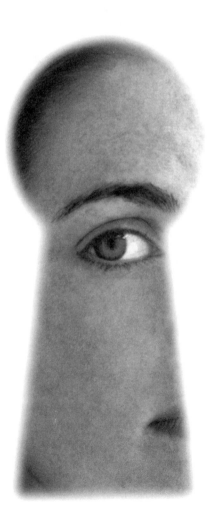

Pero, de todas maneras, son los ojos los que nos hacen pecar, con más frecuencia, contra el décimo mandamiento. Por eso, ¡es necesario que también, en esta área, estemos alertas y orando!

¿Podemos ahora comprender mejor de qué se trata? Realmente es así, lo queramos creer o no, que el pecado del décimo mandamiento sucede en base a lo que nuestro ojo haya visto.

Naturalmente, hay otros factores, fuera de la vista, que también pueden influir. Por ejemplo, se puede escuchar alguna cosa que nos lleve a transgredir el décimo mandamiento. O se puede degustar algo, por ejemplo, un asado y, después de haberlo probado, sin falta, querer otro pedazo; preferentemente aquél que está en el plato del otro, porque es el pedazo más grande. Con esto, también transgredimos el décimo mandamiento.

Pero, de todas maneras, son los ojos los que nos hacen pecar, con más frecuencia, contra el décimo mandamiento. Por eso, ¡es necesario que también, en esta área, estemos alertas y orando! Una canción infantil dice: "Cuida tus ojos, cuida tus ojos, lo que ven, cuida tus ojos, cuida tus ojos, lo que ven. Nuestro Padre celestial, nos vigila con afán. Cuida tus ojos, cuida tus ojos, lo que ven."

¿Cuándo es "maligno" el ojo

Para penetrar más profundamente dentro del misterio del ojo, nos detendremos en unas conocidas palabras de Jesús: *"La lámpara del cuerpo es el ojo; así que, si tu ojo es bueno, todo tu cuerpo estará lleno de luz; pero si tu ojo es maligno, todo tu cuerpo estará en tinieblas. Así que, si la luz que en ti hay es tinieblas, ¿cuántas no serán las mismas tinieblas?"* (Mateo 6:22-23).

Sé que para esta declaración de Jesús hay toda una exégesis especial. Pero si observamos sencillamente el texto, tal como está escrito, la cuestión se vuelve sumamente clara. *"La lámpara del cuerpo es el ojo"*, dice Jesús. ¿No significa esto que el ojo puede llegar a influir sobre el estado general, tanto externo como interno, de la persona? Yo entiendo que éste es el significado real de esta Palabra. Pero, preguntémonos: ¿Cómo llega a ocurrir esto, cómo es posible que el ojo pueda ejercer tal influencia?

Jesús continúa diciendo: *"si tu ojo es bueno, todo tu cuerpo estará lleno de luz; pero si tu ojo es maligno, todo tu cuerpo estará en tinieblas."* ¿Cuándo es "maligno" el ojo? ("maligno" puede sustituirse por "en mala condición". Nota del traductor) Está en mala condición, no cuando ya tenga cataratas o glaucoma, o cuando esté perdiendo la visión, sino cuando el ojo ve cosas y graba imágenes a través de las cuales se mancha. Pedro, en su segunda epístola, habla acerca de personas que *"tienen los ojos llenos de adulterio"* (2 Pedro 2:14). Otra versión traduce esta porción de la siguiente manera: *"No puede ver a una mujer sin desearla"*. Aquí realmente se trata de un "ojo maligno", y son éstas las personas a las que Jesús se refiere cuando dice: *"Pero yo os digo que cualquiera que mira a una mujer para codiciarla, ya adulteró con ella en su corazón"* (Mateo 5:28).

Tal vez haya más cristianos, entre nosotros, con un "ojo maligno" de lo que nos podamos imaginar. Es por eso que, ahora, cada lector tiene la oportunidad, por medio de la lista adjunta, de examinar la cuestión del "ojo maligno" en su propia vida:

• Un ojo que, una y otra vez, mira películas obscenas, es maligno.

• Un ojo que no puede dejar de echar miradas codiciosas hacia otras personas, es maligno.

- Un ojo que, necesariamente, es decir como por compulsión, tiene que mirar, una y otra vez, las páginas ilustradas de revistas con doble sentido, es maligno.
- Un ojo que no se puede apartar del lujo y de las cosas caras, es maligno.
- Un ojo que siempre tenga que estarse deleitando con cosas degeneradas, antinaturales y perversas, es maligno.
- Un ojo que no pueda dejar de fijarse en las posesiones del prójimo, es maligno.
- Un ojo que chispea cuando ve un montón de dinero, es maligno.

Con un ojo así, dice el Señor Jesús, todo el *"cuerpo estará en tinieblas"*. Eso significa que el estado general de tal persona, tanto exterior como interiormente, sufrirá también las consecuencias. Y esto realmente es así: Las personas que, durante años, han sido esclavos del espíritu de fornicación, con el tiempo se enferman psíquica y físicamente. Y las personas que, interiormente, se están consumiendo por todo su apetito de riquezas, pueden sufrir, como consecuencia, verdaderos daños corporales. Pero, a través de este "ojo maligno", todo el *"cuerpo estará en tinieblas"*, porque no sólo queda en lo que se ve, en aquello que el ojo capta, sino que, muchas veces, también se pasa al hecho.

Eva no sólo miró el fruto del árbol de Dios con deseo, sino que lo arrancó, comió y también le dio a Adán para que comiera. Debido a eso, ambos cayeron en grandes tinieblas interiores.

El deseo de Acab no sólo se limitaba a sus ojos, a aquello que podía ver, sino que se expandió hasta el hecho de quitarle a Nabot su viña a la fuerza. Con esto, las tinieblas que ya posaban sobre la vida de Acab se volvieron aún mucho más densas y pesadas.

David no sólo miró desde el terrado de su casa a la mujer de Urías con lujuria, sino que también cayó en adulterio con ella. Por mucho tiempo, este hecho

Un ojo que chispea cuando ve un montón de dinero, es maligno.

marcó su vida como una oscura sombra (2 Samuel 12:10-12, 14).

Pero, también ocurre esto en el diario vivir actual: Es por eso que se producen tantas violaciones y maltrato infantil, porque los autores, primeramente, lo han visto en revistas y videos. No podemos subestimar esta cruda realidad: La mirada de un "ojo maligno" es la señal de partida para muchos actos repulsivos. ¡Tan grave y trágico es caer en el pecado de infringir el décimo mandamiento! Cuando Dios, el Señor, nos dice allí: *"No codiciarás la casa de tu prójimo... mujer, siervo, criada, buey, asno, ni cosa alguna de tu prójimo"*, entonces, esta codicia comienza porque los ojos se han dirigido lujuriosamente hacia los objetos deseados. Si esto ocurre, generalmente, no falta mucho para que se llegue a los hechos.

¿Cómo podemos guardarnos de tener un "ojo maligno"?

Hay muchas cosas que nosotros mismos podemos hacer para que nuestros ojos no sean "malignos". Sencillamente, debemos someter nuestros ojos a una estricta disciplina y determinar, obstinadamente, qué es lo que pueden ver y que no. En este contexto recuerdo a Job, quien dijo: *"Hice pacto con mis ojos; ¿Cómo, pues, había yo de mirar a una virgen?"* (Job 31:1). Actuar de la manera como lo hizo Job, en cuanto al décimo mandamiento *"No codiciarás"*, significa sencillamente lo siguiente:

• Si te suscribiste a una revista obscena, cancela inmediatamente esta suscripción.
• Si estás atado al televisor, apártate de él.

• Si ciertas circunstancias y situaciones te tientan, entonces evítalas.

• Si determinadas tiendas producen en ti una reacción negativa, ya no las visites.

• Si hay personas que significan una gran tentación para ti, ya no busques su compañía.

• Si en tu vida existen costumbres que, una y otra vez, te llevan a caer, ¡déjalas!

Entiéndase, que he citado estos ejemplos sólo con referencia al décimo mandamiento: *"No codiciarás"*. O sea: ¡Haz todo lo que esté a tu alcance para no llegar a tener un "ojo maligno"! En este caso pienso en Miqueas 6:8 donde claramente está escrito: *"Oh hombre, él te ha declarado lo que es bueno, y qué pide Jehová de ti: solamente hacer justicia"* (en alemán esta porción se traduce así: "él te ha declarado lo que es bueno, y qué pide Jehová de ti: esto es retener la Palabra de Dios". Nota del traductor). "Retener la Palabra de Dios" significa, entre otras cosas, que estemos dispuestos a dejar de lado todas las faltas que la Palabra de Dios nos indica. En Proverbios 28:13 dice con respecto a esto: *"El que encubre sus pecados no prosperará; mas el que los confiesa y se aparta alcanzará misericordia."*

Pero, aún hay otro punto muy importante en toda esta cuestión, un punto que de ninguna manera podemos omitir. No es que podamos evitar todo aquello que se nos cruza por el camino. O sea, que para el cristiano no existe algo así como "anteojeras religiosas", que lo guarden de todos y de todo. No, siempre habrá cosas que se presentarán inesperadamente ante nosotros, y que no podremos, sencillamente, hacerlas a un lado. Pero, en estos momentos, debemos cuestionarnos: ¿Hacia dónde está orientado mi ojo interno en esta situación específica? ¿Hacia dónde mira mi ojo en este instante? Quiero decir: Repentinamente, nos encontramos ante una situación de la cual, inmediatamente, sabemos que nos puede llevar a pecar; que puede despertar un mal deseo dentro nuestro. Justamente ahí, esta pregunta es muy imprescindible: ¿Hacia dónde mira mi ojo interno en este momento?

¡La solución y la liberación de todas las presiones de este mundo se encuentran ocultas en la pregunta,

La liberación de todos los anhelos pecaminosos no consiste en que continuamente nos estemos tapando los ojos. No, antes bien, consiste en destapar nuestro ojo interno hacia una persona - o sea, hacia Jesucristo

hacia quién o hacia qué está orientado mi ojo interior! O sea, que, en primer lugar, no siempre depende de la pregunta: ¿Cómo puedo salir de tal o cual situación; cómo puedo, realmente, tener rienda firme con mi ojo? ¿Cómo puedo salir sin manchas de la situación en la cual me encuentro? No, muchas veces, debemos preguntarnos antes: ¿Hacia dónde se orienta mi ojo interior en este preciso momento?

El poder responder correctamente esta pregunta, es una clave muy importante para no infringir el décimo mandamiento. La respuesta es la siguiente: Si el décimo mandamiento dice: *"No codiciarás..."*, la clave para no codiciar está en la exhortación:

¡Tú debes codiciar!

En Lucas 19:3 leemos del jefe de los publicanos que: *"procuraba ver quién era Jesús"* (en la versión alemana dice: "codiciaba ver a Jesús". Nota del traductor). En Juan 12:21 dice que había ciertos griegos que anhelaban tanto ver a Jesús que le dijeron al apóstol Felipe: *"Señor, quisiéramos ver a Jesús."*

La liberación de todos los anhelos pecaminosos, no consiste en que continuamente nos estemos tapando los ojos. No, antes bien, consiste en destapar nuestro ojo interno hacia una persona - o sea hacia Jesucristo. Aquí no se trata tanto de lo que confronten nuestros ojos externos sino, más bien, hacia quién está dirigido nuestro ojo interno.

En Hebreos 12:1-2 leemos: *"...despojémonos de todo peso y del pecado que nos asedia, y corramos con paciencia la carrera que tenemos por delante, puestos los ojos en Jesús, el autor y consumador de la fe..."* ¿Cómo podemos, entonces, despojarnos de este pecado que tan fácilmente nos enreda? ¿Cómo podemos dejar de infringir el décimo mandamiento que dice: *"No codiciarás"*? Primeramente, al correr *"con paciencia la carrera que tenemos por delante"*, es decir, haciendo todo lo que esté a nuestro alcance - como ya se había mencionado. Pero, al hacer esto, y ahora viene lo decisivo, en segundo lugar, debemos tener *"puestos los ojos en Jesús"*.

Si sólo hacemos lo primero, correr *"con paciencia la carrera que tenemos por delante"*, a pesar de que en sí esto es muy bueno, en algún momento vamos a fla-

Hoy en día, se hace mucha propaganda de los lentes de sol que tienen un alto factor UV de protección. Con estos lentes - así se nos dice - los ojos ya no sufren las consecuencias de los fuertes rayos solares. Si llevamos esto al plano espiritual: Para que nuestros ojos no estén en "mala condición" espiritual, con lo que todo el cuerpo sufre las consecuencias, la mirada de nuestro ojo interior puesta en Jesucristo ofrece la mejor protección!

quear. Puesto que tarde o temprano, por más cuidadosos que seamos al correr, nos daremos la cabeza contra algún obstáculo. Pero si corremos *"con paciencia la carrera que tenemos por delante"* y, al mismo tiempo, ponemos *"...los ojos en Jesús"*, no nos sucederá eso. Antes bien se cumplirá lo que está escrito en el Salmo 34:6: *"Los que miraron a él fueron alumbrados, y sus rostros no fueron avergonzados."* ¿En qué momento nuestros

"...despojémonos de todo peso y del pecado que nos asedia, y corramos con paciencia la carrera que tenemos por delante"

"rostros... fueron avergonzados"? Cuando caímos o, bien, cuando en la carrera dimos nuestra cabeza contra un obstáculo puesto por Satanás. Pero, si tenemos *"puestos los ojos en Jesús"*, esto ya no puede suceder porque, entonces, tendremos la mejor protección que nos pudiéramos imaginar. Podrá suceder que de pronto estemos parados ante algo que, en circunstancias normales, nos podría ocasionar la caída. Pero como toda esta situación también la vemos a través de nuestro ojo interior, el cual está orientado hacia Jesús, tenemos la mejor protección ocular que pueda existir.

Hoy en día se hace mucha propaganda de los lentes de sol que tienen un alto factor UV de protección. Con estos lentes - así se nos dice - los ojos ya no sufren las consecuencias de los fuertes rayos solares. Si llevamos esto al plano espiritual: Para que nuestros ojos no estén en "mala condición" espiritual, con lo que todo el cuerpo sufre las consecuencias, la mirada de nuestro ojo interior puesta en Jesucristo ofrece la mejor protección!

¿Qué significa tener los ojos puestos en Jesús?

Nada menos que vivir a diario una íntima comunión con el Señor Jesús. Esto es algo divinamente sencillo y poco complicado. Pero, *nosotros* siempre lo hacemos muy complicado.

Algunos de nosotros vivimos de tal manera, como si el velo que separa lo santísimo del templo aún no se hubiera rasgado; como si aún no tuviéramos un acceso directo hacia el aposento alto; como si aún tuviéramos que cumplir con toda una serie de requisitos para ser admitidos. Pero, esto no es cierto, pues la Escritura dice: *"Entonces el velo del templo se rasgó en dos, de arriba abajo"* (Marcos 15:38). Eso ocurrió en el instante cuando Jesús murió en el Gólgota. A partir de ese momento, el camino quedó totalmente despejado. Y, ahora, todos nosotros podemos acceder al santuario celestial, cada vez que queramos y el tiempo que lo deseemos hacer, así como está escrito: *"Acerquémonos, pues, confiadamente al trono de la gracia, para alcanzar misericordia y hallar gracia para el oportuno socorro"* (Hebreos 4:16). ¡Busquemos, a lo largo de todo el día, el rostro del Señor. Y confiemos en que el Señor, justamente en ese momento, estará cerca, muy cerca nuestro!

Leí acerca de una vendedora de mercado que debía trabajar muy duro. Era una creyente cristiana. Por las noches, muchas veces, esta mujer estaba tan cansada, que sólo podía llegar hasta la cama y decir: "¡Buenas noches querido Padre!"

Esto no debe ser ningún incentivo para resumir nuestro tiempo devocional, sino que lo cito para demostrar con cuanta confianza infantil te puedes acercar a tu Padre celestial. Haz uso de este maravilloso derecho de acercarte, a través de Jesucristo, en toda situación - también en aquellos momentos de prueba y codicia - a tu Padre.

El Cristiano

y el Mandamiento
más Importante

"Maestro, ¿cuál es el gran mandamiento en la ley? Jesús le dijo: Amarás al Señor tu Dios con todo tu corazón, y con toda tu alma, y con toda tu mente. Este es el primer y gran mandamiento. Y el segundo es semejante: Amarás a tu prójimo como a ti mismo. De estos dos mandamientos depende toda la ley y los profetas" (Mt. 22:36-40).

El mandamiento más importante, que nos fue trasmitido por el mismo Señor Jesucristo, contiene dos aspectos importantes: primero, el amor ilimitado hacia Dios y, segundo, el amor al prójimo.

Aunque, a continuación, nos ocuparemos exclusivamente del primer aspecto de este gran mandamiento – de nuestro amor por el Señor – quisiera decir algo acerca del doble contenido del mismo: En primer lugar, debemos notar que estos dos aspectos que Jesús menciona como el mandamiento más importante, no fueron prestados de los diez mandamientos. ¿No son los diez mandamientos los que, generalmente, son llamados los Mandamientos, es decir los mandamientos de todos los mandamientos? ¿Entonces, por qué el mandamiento más importante no fue tomado de estos Diez Mandamientos? Respuesta:

- Los diez mandamientos no necesariamente son los mandamientos más importantes, ya que existen muchas otras ordenanzas con un contenido igualmente autoritario e importante. La grandeza y la preferencia de los Diez Mandamientos no consiste en que fueron los más significativos, sino en que son el comienzo oficial de todos los mandamientos y ordenanzas que Dios el Señor deseaba dar a Su pueblo.

- Pero aun cuando, como he mencionado, los dos aspectos del mandamiento más importante, los de amar a Dios y al prójimo, no provienen de los Diez Mandamientos, indirectamente, son proclamados con toda claridad en los mismos. Ya que cuando el Señor, por ejemplo, exige en el primer mandamiento: *"No tendrás dioses ajenos delante de mí"* (Ex. 20:3), con eso está diciendo muy claramente que debemos amar a Dios el Señor. O cuando el noveno y el décimo mandamiento (Ex. 20:16-17) hablan en contra del comportamiento errado hacia el prójimo, eso significa que uno debe amar a su prójimo.

Pero, ¿cómo debemos entender la declaración del Señor Jesús de que el segundo aspecto del gran mandamiento, el de amar al prójimo como a sí mismo, sea igual de importante que el primero, el de amar a Dios el Señor de todo corazón? ¿No es mucho más importante amar a Dios que amar a los demás seres humanos, nuestros prójimos? ¡Por supuesto, amar a Dios el Señor tiene mucha más importancia que amar al prójimo! ¿Qué quiso decir el Señor, entonces, cuando, en vista del mandato de amar a Dios de todo corazón, dijo: *"Y el segundo es semejante: Amarás a tu prójimo como a ti mismo"?* El quiso enfatizar que estas dos cosas son iguales, en el sentido que dependen una de la otra. ¡Lo uno no es posible sin lo otro! No puedo amar a Dios el Señor de todo corazón, sin al mismo tiempo amar también a mi prójimo. Y del mismo modo, no puedo amar a mi prójimo de todo corazón, si no estoy compenetrado de un poderoso amor a Dios. Es así que

No puedo amar a Dios el Señor de todo corazón, sin al mismo tiempo amar también a mi prójimo.

amamos a Dios y a nuestro prójimo, si no nuestro "amor" – ya sea que esté dirigido a Dios o al prójimo — no tiene razón de ser.

En lo que respecta al primer aspecto del gran mandamiento: *"Amarás al Señor tu Dios con todo tu corazón, y con toda tu alma, y con toda tu mente",* nos preguntaremos primero:

¿Qué es lo que puede desplazar o oscurecer el amor hacia nuestro Señor?
1. Los deseos no realizados

De hecho, es posible que los deseos no realizados puedan hacer que nuestro amor al Señor se vaya apagando. Con eso no queremos decir que no debemos tener deseos, ya que un ser humano – también un cristiano — siempre tiene determinados deseos. De vez en cuando, también, el Señor cumple uno u otro de esos deseos, y da lo que anhela el corazón.

Pero, también existen deseos que el Señor no cumple, o que no los cumple de inmediato, y que, si a pesar de ello, nos aferramos a los mismos, pueden producir un cambio negativo en nosotros. Tal deseo, hasta entonces no cumplido, no necesariamente debe ser pecaminoso o malo. No, sino que perfectamente puede tratarse de algo bueno y positivo, pero que el Señor no nos lo puede dar en el momento. La pregunta es: ¿Cómo nos comportamos nosotros en una situación de este tipo? ¿Verdad que puede suceder, en un caso así, que simplemente no nos querramos conformar y nos aferremos vehemente a algo específico? ¿Y qué sucede luego? Proverbios 13:12 dice: *"La esperanza que se demora es tormento del corazón..."* Si ciertos deseos no son cumplidos, pero aun así nos aferramos a ellos, verdaderamente llegamos a tener un corazón enfermo. Lo triste es que el asunto no queda ahí, sino que esa enfermedad se propaga hasta tocar la comunicación con el Señor. O, para decirlo sin reparos: El amor hacia nuestro Señor disminuye y se enfría.

Así lo vemos en Ana, la madre del profeta Samuel. Dice de ella: *"...mas Ana no tenía* (hijos)*"* (1 S. 1:2). Para esta mujer, eso era un enorme problema, y era totalmente comprensible que ella, con todas las fibras de su corazón, deseara tener un hijo. Pero, justamente en el caso de Ana, vemos como los deseos no cumplidos pueden hacer enfermar, ya que ella ya no era capaz de alegrarse en las cosas lindas de la vida. De Elcana, su esposo, leemos: *"Y todos los años aquel varón subía de su ciudad para adorar y para ofrecer sacrificios a Jehová de los ejércitos en Silo"* (v. 3). Elcana, con toda su familia, cada año festejaba esta ceremonia en honor al Dios de Israel. Allí sacrificaban, comían, bebían y se alegraban en el Señor. ¿Qué hacía, sin embargo, su esposa Ana durante esta fiesta? De ella, leemos lo siguiente: *"...por lo cual Ana lloraba, y no comía"* (v. 7). Naturalmente, también debemos ver este llanto y este ayuno de Ana en conexión con el hecho de que Penina, la segunda esposa de Elcana, se burlaba de ella por no tener hijos: *"Y su rival la irritaba, enojándola y entristeciéndola, porque Jehová no le había concedido tener hijos"* (v. 6). Naturalmente que eso le daba una fuerte razón adicional. Pero, independientemente de esto, era un hecho que cada año, durante la fiesta, Ana volvía a llorar ante el Señor y a ayunar – ya que su deseo de tener un hijo todavía no se había cumplido. Eso nos muestra que el corazón de esta mujer estaba enfermo. Pero ¿para quién era esto, ahora, un problema? Para su esposo Elcana. Le escuchamos decir a su esposa: *"Ana, ¿por qué lloras? ¿por qué no comes? ¿y por qué es-*

tá afligido tu corazón? ¿No te soy yo mejor que diez hijos?" (v. 8). ¡Qué impresionante imagen de nuestro Señor Jesucristo se nos presenta aquí! Ya que ¿no es justamente esto lo que Él tiene que objetar cuando nosotros, constantemente, nos aferramos a los deseos incumplidos? Elcana preguntaba a Ana: *"¿No te soy yo mejor que diez hijos?"* En otras palabras: ¿No soy Yo mismo lo mejor que tú puedes tener y amar? ¡Cuántas veces el Señor ya nos ha tenido que confrontar con estas palabras! Y quizás lo esté haciendo en este mismo momento, por existir deseos no cumplidos que llenan más nuestro corazón que nuestro amor a El.

"Amarás al Señor tu Dios con todo tu corazón, y con toda tu alma, y con toda tu mente", dice Jesús. Eso significa, ante todo, tomar distancia de todos los deseos no cumplidos. Porque repito: Los deseos no cumplidos, en los cuales insistimos diariamente, nos pueden cambiar tanto, que el amor al Señor llega a enfriarse. Esa es la razón por la cual debemos distanciarnos de una actitud de este tipo, y esperar el tiempo del Señor, lo cual renueva nuestro amor a El y nos silencia interiormente.

2. Dar mayor importancia a la ayuda humana que a la ayuda del Señor

Esta segunda razón puede tener consecuencias tan desastrosas, con respecto a nuestro amor al Señor, como el aferrarnos desesperadamente a los deseos no cumplidos. Esto puede producir un distanciamiento sumamente doloroso entre nosotros y el Señor; puede hacer enfriar totalmente nuestro amor hacia El.

Había, en el Antiguo Testamento, un hombre lleno de un grande y profundo amor a su Dios: el Rey

Asa. Leemos acerca de él: *"Asa hizo lo recto ante los ojos de Jehová, como David su padre"* (1 R. 15:11). Cuando aquí dice *"como David su padre"* entonces demuestra que él era un hombre que – como David – amaba mucho a su Dios. David, en su tiempo, testificó: *"Te amo, oh Jehová, fortaleza mía"* (Sal. 18:1). Exactamente este tipo de hombre era también el Rey Asa, quien estaba lleno de un profundo amor hacia su Dios.

El demostró su amor al Señor, entre otras cosas, con las reformas radicales que implementó al comienzo de su reinado. Destruyó todas las imágenes de los falsos dioses, los altares paganos, las columnas del sol y los lugares altos que había en su reino. Pero su amor se profundizó y enriqueció aun más en el momento en que, en una situación sumamente complicada y sin esperanzas, mostró la mayor confianza en su Dios. – Si también nosotros queremos, realmente, demostrar un genuino amor hacia el Señor, lo podemos hacer, entre otras cosas, por medio de una ciega confianza en El. – Asa quería crecer aún más en el amor hacia su Dios al reconstruir el altar del sacrificio en el templo y, con un enorme sacrificio, quería renovar la entrega de todo el pueblo a su Dios. Aquí vemos hasta que punto Asa era un hombre lleno de un verdadero amor hacia su Señor.

Pero, repentinamente, un poder destructor, como un cuchillo filoso, se interpuso en esta comunión de amor entre Asa y su Dios. ¿Cómo sucedió esto? En vez de haber confiado nuevamente en su Dios, durante una guerra contra Baasa, rey de las diez tribus, Asa buscó ayuda en el rey Ben-adad de Siria. ¡De modo que él catalogaba como más importante la ayuda humana que la ayuda del Señor! Con respecto a esto, leemos en 2 Crónicas 16:1-4: *"En el año treinta y seis del reinado de Asa, subió Baasa rey de Israel contra Judá... Entonces sacó Asa la plata y el oro de los tesoros de la casa de Jehová y de la casa real, y envió a Ben-adad rey de Siria, que estaba en Damasco, diciendo: Haya alianza entre tú y yo... yo te he enviado plata y oro, para que vengas y deshagas la alianza que tienes con Baasa rey de Israel, a fin de que se retire de mí. Y consintió Ben-adad con el rey Asa, y envió los capitanes de sus ejércitos contra las ciudades de Israel...*" Y con esto terminó la maravillosa relación de amor entre su Dios y él, ya que continúa diciendo: "*En aquel tiempo vino el vidente Hanani a Asa rey de Judá, y le dijo: Por cuanto te has apoyado en el rey de Siria, y no te apoyaste en Jehová tu Dios, por eso el ejército del rey de Siria ha escapado de tus manos. Los etíopes y los libios, ¿no eran un ejército numerosísimo, con carros y mucha gente de a caballo? Con todo, porque te apoyaste en Jehová, él los entregó en tus manos. Porque los ojos de Jehová contemplan toda la tierra, para mostrar su poder a favor de los que tienen corazón perfecto para con él. Locamente has hecho en esto; porque de aquí en adelante habrá más guerra contra ti*" (v. 7-9). Estas últimas palabras, más que cualquiera de las otras, testifican de la quiebra del amor entre el Señor y Asa. ¡Porque cuando el Señor le manda decir: "*...Porque los ojos de Jehová contemplan toda la tierra, para mostrar su poder a favor de los que tienen corazón perfecto para con él*", habla de personas cuyo corazón está lleno de amor hacia El!

Después de eso, ya no mejoraron más las cosas de Asa, sino que él más bien continuó en ese camino de perdición: "*Asa enfermó gravemente de los pies, y en su enfermedad no buscó a Jehová, sino a los médicos*" (v. 12).

Asa, *"en su enfermedad no buscó a Jehová, sino* (solamente) *a los médicos"*.

No deberíamos subestimar las consecuencias que surgen de apartarnos vilmente del Señor, y ya no confiar en El incondicionalmente – ya que eso no es otra cosa que una infidelidad con respecto a nuestro amor a El.

Si somos amonestados en Mateo 22:37 a amar: *"al Señor tu Dios con todo tu corazón, y con toda tu alma, y con toda tu mente"*, entonces, deberíamos confiar incondicionalmente en El en toda situación, ya que confianza es amor y amor es confianza.

Acerca del triste hecho de que Asa, en su enfermedad, buscó a los médicos, quiero decir lo siguiente: No era incorrecto, o un pecado, que por sus pies enfermos se dirigiera a los doctores, ya que los médicos bien calificados son un regalo del Señor. Su pecado, más bien, consistió en que *"en su enferme-*

dad no buscó a Jehová, sino (solamente) *a los médicos".*

Esta verdad la podemos aplicar a muchas áreas de nuestra vida. Pues, aunque en algunas situaciones debemos emprender determinados pasos, de los cristianos nacidos de nuevo se espera, una y otra vez, que entreguemos el asunto, en primer lugar, al Señor. Pues, de esa manera, testificamos que amamos *"al Señor... de todo nuestro corazón, con toda nuestra alma y con toda nuestra mente."*

¿Qué más puede obscurecer y desplazar el amor a nuestro Señor?

3. La "actitud de Martha"

El Señor Jesús muchas veces estuvo de visita en la casa de las dos hermanas de Betania, Martha y María. Debido a una de estas visitas, sucedió que Martha estuvo muy ocupada preparando comida y bebida para el Señor. María, por el contrario, se sentó a los pies de Jesús, para escucharlo. Después de la queja de Martha de que María también debería ayudarle a ella, el Señor le dijo estas importantes palabras: *"Marta, Marta, afanada y turbada estás con muchas cosas. Pero sólo una cosa es necesaria; y María ha escogido la buena parte, la cual no le será quitada"* (Lc. 10:41-42).

Por supuesto que, en una iglesia local, también se necesitan "Marthas" que hagan el trabajo, ya que si no existieran las mismas, habría mucha escasez en nuestras iglesias (recordemos tan solamente los días de comunión al aire libre, o de grandes reuniones con muchos huéspedes, donde no puede escasear la comida). Pero en este caso, no se trataba de esta acción práctica y positiva de Martha, sino más bien de su actitud espiritual, la que lamentablemente domina a muchos hijos de Dios y, por medio de la cual, el amor a Jesús es literalmente sofocado. Sin embargo, es conveniente que miremos todo en su debida secuencia.

En Lucas 10:38 leemos: *"Aconteció que yendo de camino, entró en una aldea; y una mujer llamada Marta le recibió en su casa."* Martha recibió al Señor en su casa, haciendo con esto lo mejor que un ser humano puede hacer en esta vida – permitir que Jesús entre en su vida. Así, Martha es una imagen perfecta de todos aquellos que han recibido a Jesucristo en sus vidas.

Pero, ¿qué fue lo que ocurrió a continuación? Algo que no debería haber ocurrido. Por eso, nos disponemos a hablar de la profunda tragedia en que viven muchos cristianos en la actualidad, y de la cual Martha, en su forma de actuar, es un elocuente testimonio. Mencionémoslo una vez más: Martha recibió al Señor, haciendo con eso lo mejor que podía hacer. Pero, cuando llegó la parte más importante, ella repentinamente ya no estaba allí. ¿Dónde se encontraba Martha? En la cocina, donde estaba *"afanada y turbada con muchas cosas"* para servir a Jesús.

¿Será que el Señor había llegado a su casa para saciar, en primer lugar, el hambre y la sed? No, sino que Le importaba, por sobre todas las cosas, tener una comunión íntima y profunda con sus amigos. Y eso ocurre cuando El puede poner Su Palabra en corazones creyentes, abiertos por el amor. Si bien Martha Lo había recibido con amor, en cuanto el Señor puso un pie en su casa y saludó a María, Martha desapareció en la cocina para servirle (Lc. 10:40).

Es una lástima ver cómo algunos cristianos se comportan de esta manera. Han recibido a Jesús, pero pierden lo más importante: la comunión íntima y profunda con Él, por medio de la constancia en la lectura bíblica y en la oración. El Señor Jesús, ¿tiene siquiera la oportunidad de hablar contigo? Si este es el caso, testificaría de la hermosa y mutua relación de amor

Betania

entre El y tú. ¿O será que simplemente no puedes tomarte un rato libre porque tienes demasiado trabajo y, muchas veces, aún, para El?!!

Felizmente, en aquella casa en Betania, también estaba presente María, la hermana de Martha: *"Esta tenía una hermana que se llamaba María, la cual, sentándose a los pies de Jesús, oía su palabra"* (Lc. 10:39). ¿No era esto una verdadera demostración del amor de María hacia su Señor y Maestro? ¿Y no es esto mismo lo que el Señor está buscando tan intensamente también en nosotros? En Juan 14:21 y 23, lo escuchamos decir: *"El que tiene mis mandamientos, y los guarda, ése es el que me ama... El que me ama, mi palabra guardará."* Y en 1 Juan 5:3 leemos: *"Pues éste es el amor a Dios, que guardemos sus mandamientos."*

El hecho de amar al Señor *"con todo tu corazón, y con toda tu alma, y con toda tu mente"* se demuestra, entre otras cosas, al leer Su Palabra en la Biblia y recibirla en nuestro corazón. Esto, sin embargo, exige de nosotros una y otra vez la actitud de María: *"...la cual, sentándose... oía su palabra."* Eso es verdadero amor a Jesús – y es sólo eso lo que el Señor busca en nosotros. ¿No podríamos ofrecerle eso de nuevo, demostrándole de esa manera nuestro amor?

¿Qué significa amar al Señor "con todo el corazón, con toda el alma, y con toda la mente"?

1. Decirle una y otra vez que tú Le amas

Confiesa tu amor al Señor una y otra vez, como lo hacía David: *"Te amo, oh Jehová, fortaleza mía"*

¿Qué valor tendría la relación entre dos personas comprometidas para casarse, si no se dijeran una y otra vez que se aman de verdad?!! Tampoco dentro, ya, del matrimonio debería faltar ese "¡Yo te amo!"

(Sal. 18:1). ¿Qué valor tendría la relación entre dos personas comprometidas para casarse, si no se dijeran una y otra vez que se aman de verdad?!! Tampoco dentro, ya, del matrimonio debería faltar ese "¡Yo te amo!", pues, de ser así, el matrimonio se convertiría en un asunto bastante árido, donde faltaría lo más importante.

Del mismo modo también sucede con nuestro Señor: También El quiere escuchar de nosotros, en todo momento, que Le amamos; debemos declararle nuestro amor una y otra vez. Después de todo, El también lo hace, ya que cuando Le escuchamos decir: "...*mi paz os doy... ¡No se turbe vuestro corazón, ni tenga miedo!"* (Jn. 14:27), eso no es otra cosa que una hermosa declaración de amor dirigida hacia nosotros. O cuando, en Mateo 11:28, exclama, mientras extiende Sus brazos: *"Venid a mí todos los que estáis trabajados y cargados, y yo os haré descansar"*, ¿no es eso una increíble invitación de amor a todo aquél que desea llegar a Él? Pero, del mismo modo, el Señor también lo quiere escuchar de nosotros. ¿Por qué es eso tan importante? Más allá de que el Señor, sencillamente, lo espera de nosotros, una sincera declaración de amor, también, siempre es el camino para lograr una profunda comunión con Él, nuevamente, cuando ésta ha sido interrumpida.

A Pedro también le sucedió esto cuando él turbó la tan estrecha relación que había entre él y el Señor Jesús, a través de su triple negación. ¿Qué tuvo que hacer para solucionar eso? No necesitó de ningún tipo de penitencias ni confesiones especiales. Tampoco tuvo que intentar arreglar el asunto por sí mismo. No. Sino que cuando el Señor le preguntó tres veces si Pedro Lo amaba, simplemente testificó tres veces: "Señor, ... ¡te amo!" (Jn. 21:15-17).

2. Amor activo

¡Amar al Señor de todo corazón significa, también, demostrarlo con tus hechos! En 1 Reyes 3:3 dice: *"Mas Salomón amó a Jehová, andando en los estatutos de su padre David."* Salomón demostró su amor al Señor al andar por el camino de Dios, como lo había hecho su Padre David. Salomón lo hizo para demostrarle a Dios: "¡Señor, yo Te amo!"

¡Cuánto espera el Señor, también en nuestros días, "declaraciones de amor" tan activas de parte de Sus hijos! ¡Cuán grande es Su deseo de recibir señales visibles de nuestro amor hacia El!

Demostrar al Señor nuestro amor con hechos significa, por ejemplo, servir a los hermanos en la fe: *"Porque Dios no es injusto para olvidar vuestra obra y el trabajo de amor que habéis mostrado hacia su nombre, habiendo servido a los santos y sirviéndoles aún"* (He. 6:10). No dice aquí que Dios no olvida el servicio en base al amor al prójimo (por más importante que sea). Sino que dice que Dios no olvida el servicio a los santos, que fue realizado sobre la base del amor y del deseo de servirle a El: *"...para olvidar vuestra obra y el trabajo de amor que habéis mostrado hacia su nombre, habiendo servido a los santos y sirviéndoles aún"*. El servicio al prójimo, mencionado aquí, por lo tanto, no se realiza, en primer lugar, por amor al prójimo, sino por amor al Señor. Con esto se hace una visible declaración de amor al Señor, de las cuales existen muchas más todavía. De hecho, podemos hacer muchas cosas con las cuales demostramos visiblemente: "¡Señor, Te amo!"

3. ¡Olvidar!

Amar al Señor de todo corazón también significa olvidar. ¿Qué es lo que debemos olvidar? Todo aquello que fuimos en este mundo, y lo que quizás podríamos llegar a ser en él; todo aquello que, por naturaleza, nos parece importante, pero que no tiene valor desde el punto de vista espiritual; todo aquello que, si bien tiene brillo mundano, no nos acerca a El.

El Salmo 45 nos muestra una hermosa imagen de esta verdad, ya que, con palabras maravillosas, habla proféticamente de la relación de amor entre Cristo y

Su iglesia. En el versículo 2 dice: "*Eres el más hermoso de los hijos de los hombres; la gracia se derramó en tus labios; por tanto, Dios te ha bendecido para siempre.*" Estas son palabras que describen a nuestro Señor: el novio. Pero también la novia es mencionada en forma profética: "*Hijas de reyes están entre tus ilustres; está la reina a tu diestra con oro de Ofir*" (v. 9). Este Salmo es una hermosa canción de amor que, proféticamente, describe la íntima relación de amor entre Cristo, el novio, y la iglesia, la novia.

El contexto del "bendecido olvido", no obstante, trata especialmente del claro e inconfundible llamado hecho a la novia: "*Oye, hija, y mira, e inclina tu oído; olvida tu pueblo, y la casa de tu padre; y deseará el rey tu hermosura; e inclínate a él, porque él es tu señor*" (vs. 11-12). ¿Por qué debería ella olvidar su pueblo y su patria? Porque, a manera de explicación, dice: "*desea el rey tu hermosura*" El tiene deseos de ti. Cuánto tocan estas palabras también nuestro corazón. Porque, ¿no es bueno aquello que el Señor espera de los suyos? ¿No es exactamente lo que compone una honesta y verdadera declaración de amor? Cuando el Señor Jesús dice: "*Amarás al Señor tu Dios con todo tu corazón, con toda tu alma y con todas tus fuerzas*", poniendo ante nuestro recuerdo el mandamiento más importante, ¿no es verdad que la realización práctica de este mandamiento, entonces, consiste en que por fin comencemos a olvidar, que, finalmente, olvidemos los pasados pecados perdonados; que, por fin, dejemos de recordar lo que pasó; que, final y definitivamente, terminemos con los años que ya han pasado; que, finalmente, olvidemos y dejemos atrás todo brillo y chucherías de este mundo? El Señor nos llama a practicar este olvido bendito, con la siguiente exhortación: "*Ninguno que poniendo su mano en el arado mira ha-*

cia atrás, es apto para el reino de Dios" (Lc. 9:62). ¡Vivir esta vida, en forma bien práctica, se iguala a una declaración de profundo amor a nuestro Señor!

Pablo comprendió esta verdad hasta lo más profundo de su corazón, por eso dijo: *"...una cosa hago: olvi-*

"...una cosa hago: olvidando ciertamente lo que queda atrás, y extendiéndome a lo que está delante, prosigo a la meta, al premio del supremo llamamiento de Dios en Cristo Jesús"

dando ciertamente lo que queda atrás, y extendiéndome a lo que está delante, prosigo a la meta, al premio del supremo llamamiento de Dios en Cristo Jesús" (Fil. 3:13-14). Vivir en esta actitud no significa otra cosa que amar al Señor *"con todo el corazón, con toda el alma y con todas las fuerzas."* ¡Qué El te conceda, para esto, mucha misericordia.

¿Quisiera Ud. saber algo más sobre temas similares? Le invitamos gentilmente a leer la Biblia. La iglesia evangélica de su localidad estará a su disposición para ayudarle. ¡Visítela! En caso de que en su ciudad no exista ninguna a la cual Ud. pueda dirigirse, escriba sus preguntas a nuestra dirección. Nos será grato ayudarle y enviarle también literatura adecuada.

Diríjase a:

para Argentina: Casilla 125, 1650 SAN MARTIN - Bs. As.
para Bolivia: Casilla 62, RIBERALTA - Beni
para Chile: Casilla 223, Puente Alto, SANTIAGO
para Colombia: Apdo Aéreo 40940, BOGOTA, D.C. 1
para Uruguay: Casilla 6557, 11000 MONTEVIDEO
para Venezuela: Apdo. 3336 Carmelitas, CARACAS
demás países: Cx.P. 1688 • 90001-970 • Porto Alegre/RS • Brasil

¡Usted encontrará respuestas verdaderas y
definitivas solamente conociendo a Jesús! Este libro
le ayudará a entender todo lo que la Biblia dice
sobre El, y de qué manera Jesús quiere transformar
su vida, dándole a usted una nueva perspectiva, un
nuevo rumbo, un nuevo propósito.

¿Estás preparado para el encuentro con el Señor?

En este libro, el autor nos lleva a contemplar, en un recorrido a través de las Escrituras, algunos encuentros entre simples criaturas mortales y el Dios eterno.

- Encuentros como el de Jacob, que vio el cielo abierto en Bet-El
- Encuentros que cambiaron vidas, planes y prioridades
- Encuentros, también, que nos hablan proféticamente de acontecimientos que, hoy por hoy, tienen en jaque al medio Oriente
- Encuentros que hicieron posible lo imposible

Es nuestro deseo que, al leer esta exposición bíblica, usted también tenga un encuentro muy personal con Dios. Que ya no haya metas en su vida las cuales Cristo no pueda compartir: "metas sin Cruz". Y que, al finalizar la lectura, pueda estar preparado para el gran encuentro aún pendiente.

104 pág.

176 pág.

Cuanto más nos acercamos al repentino arrebatamiento, de la venida del Novio celestial, es necesario que nos ocupemos de la pregunta: "¿Quién es la novia del Cordero?" Se trata de un misterio aún encubierto para muchos. Este libro analiza profundamente este tema y lo que es necesario para que un hijo de Dios alcance realmente esa más elevada gloria y honra.

¡Un libro en el momento oportuno, que todo creyente que "ama Su venida" no puede dejar de leer!

La Seducción de los últimos tiempos

'La Era del Dios Digital' es un in- forme sobrio de dónde nos encon- tramos hoy día, y cuánto hemos avanzado hacia el cumplimiento de la 'Marca de la Bestia.'

Un dinámico equipo de expertos nos da una completa perspectiva al respecto de la diversa tec- nología y su evidente unión con la profecía bíblica.

El experto bíblico Arno Froese, jun- tamente con Joel Froese y Jerry Brown, expertos en tecnología rela- cionada con la informática, presen- tan un acercamiento realista hacia el progresivo cumplimiento de la profecía bíblica, el cual se está dando delante de nuestros propios ojos.

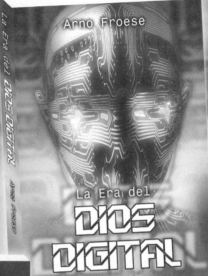

Arno Froese

La Era del

DIOS DIGITAL

272 págs.

HARRY POTTER
Hechizando una Cultura

Una Crítica a la Brujería
y a la Ecoreligión

Samuel F. M. Costa

Las fuerzas siniestras han orques- tado algo que invade nuestra privacidad. La serie "Harry Pot- ter" es una descarada incitación hacia la brujería, ya que ha lan- zado principios y doctrinas antagónicas al cristianismo, y le ha puesto una máscara sonriente al rostro del mal.

La iglesia cristiana debe identifi- car y desmontar los andamios del ocultismo, los cuales están por detrás de esta serie, antes que la hechicería seduzca, cauti- ve y atormente las mentes frági- les de nuestros preadolescentes y adolescentes.

88 págs.

Actualidades

En el correr de los últimos diez años, políticos y expertos en economía han usado, cada vez con mayor frecuencia, el eslogan "globalización". ¿Qué significa eso en realidad? ¿Qué se esconde, realmente, detrás de esto? Desde su punto de vista, como periodista cristiano, el autor dilucida aquí el desarrollo de un interesante, pero también alarmante, acontecimiento y formula la siguiente pregunta: ¿Qué dice la Biblia sobre este fenómeno? En sus exposiciones sobre los acontecimientos del tiempo desde la perspectiva bíblica, llegó a conclusiones que nos afectan personalmente.

La humanidad en la trampa de la globalización

Ulrich Skambraks

EL FUTURO DEL CRISTIANO

Norbert Lieth

Si miramos el mundo y los acontecimientos actuales notamos que estamos viviendo en una época muy oscura, nos preguntamos: ¿Qué nos traerá el futuro?

Pero como cristianos podemos levantar nuestras cabezas sabiendo que nos espera un futuro maravilloso con la base en el nuevo nacimiento. ¡Este nos abre la puerta para un futuro lleno de esperanza!